昭和18年、広東の南支派遣軍駐屯地にて。
ジャーマン・シェパードを従えた栗林忠道(中央)と、
軍属の貞岡信喜(後列右から３人目)。(本文12ページ)

「太郎君へ　御父さんは今度　こんないい自動車を買うたの……（中略）坊が居ればいくらでも乗せてやる（の）だがな　どうだ？　乗りたいかね」などと書かれている。車の絵は、見本図からわざわざ切り取って貼ったもの。

幼い長男・太郎に宛てた絵手紙

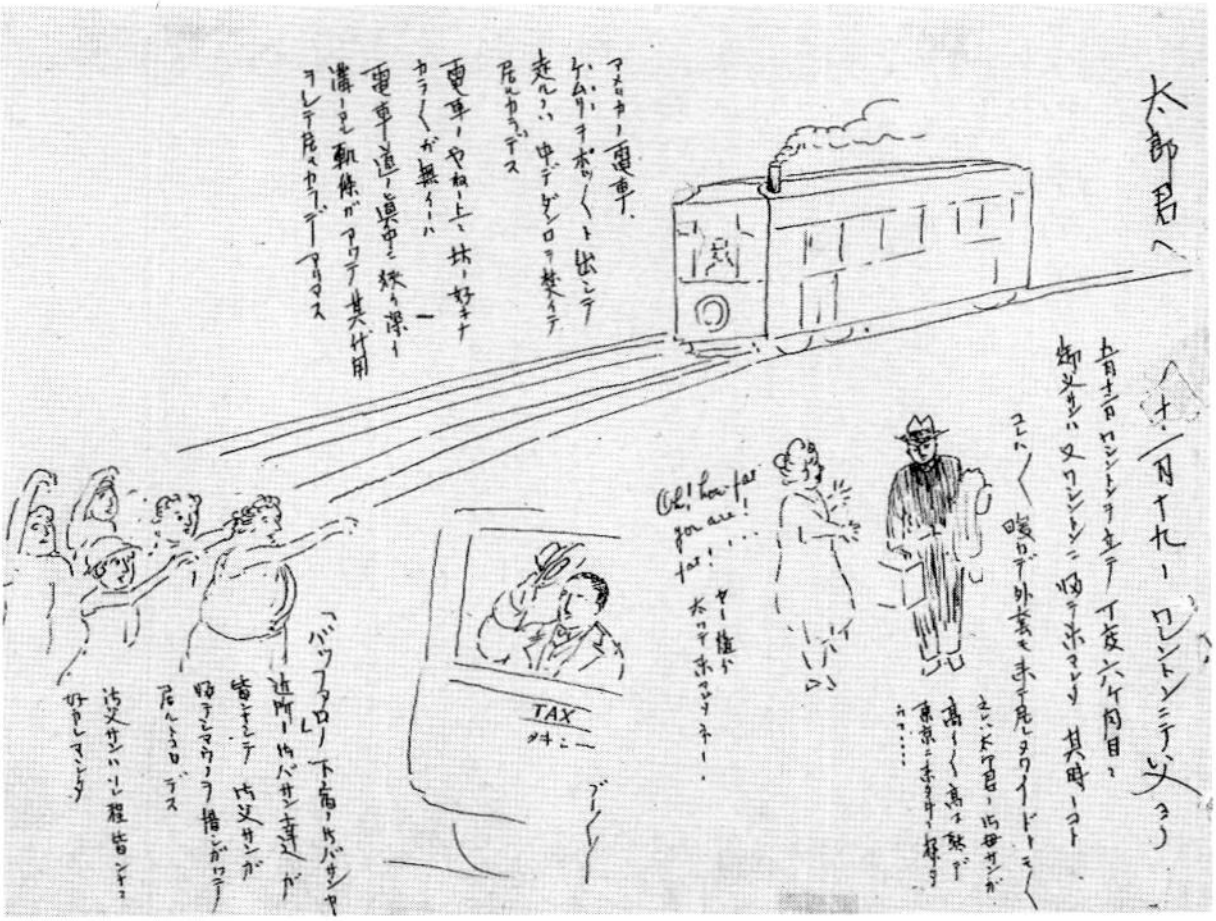

下宿していたバッファローという町を去り、ワシントンに向う場面。
（本文166ページ）

昭和３年〜５年まで留学したアメリカで、

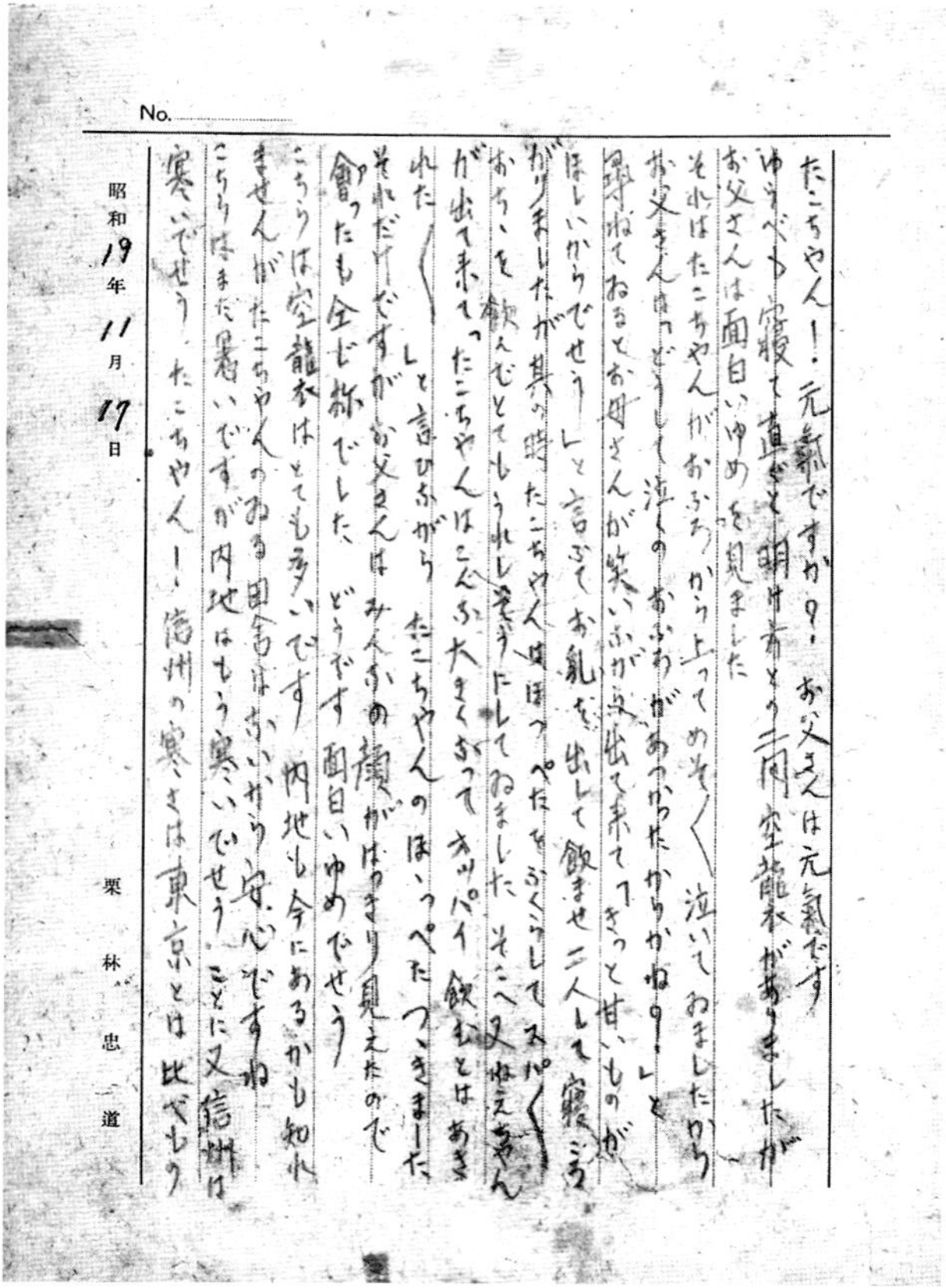

No.

たこちやん！元氣ですか？お父さんは元氣です
ゆうべも寢て直ぐと明け方との二回空襲がありましたが
お父さんは面白いゆめを見ました
それはたこちやんがおふろから上ってめそ〳〵泣いてゐましたから
お父さんは「どうして泣くの おふろがあつかつたからかね？」と
尋ねてゐるとお母さんが笑いながら出て来て「きっと甘いものが
ほしいからでせう」と言ふてお乳を出して飲ませ二人して寢ころ
がりましたが其の時たこちやんはほっぺたをふくらしてスパ〳〵
おちゝを飲んでとてもうれしさうにしてゐました そこへ又ねえちやん
が出て来て「たこちやんはこんな大きくなってオッパイ飲むとはあき
れた」と言ひながら たこちやんのほっぺたつきました
それだけですがお父さんはみんなの顔がはっきり見えたので
會ったも同じ様でした どうです面白いゆめでせう
こちらは空襲はとても多いです 内地も今にあるかも知れ
ませんがたこちやんのゐる田舎はないから安心ですね
こちらはまだ暑いですが内地はもう寒いでせう ことに又信州は
寒いでせう たこちやん！信州の寒さは東京とは比べもの

昭和19年11月17日
栗林忠道

信州に疎開していた末娘のたか子のもとに、硫黄島から届いた手紙（昭和19年11月17日付）。家族と一緒にいる夢を見たと書かれている。

（本文33ページ）

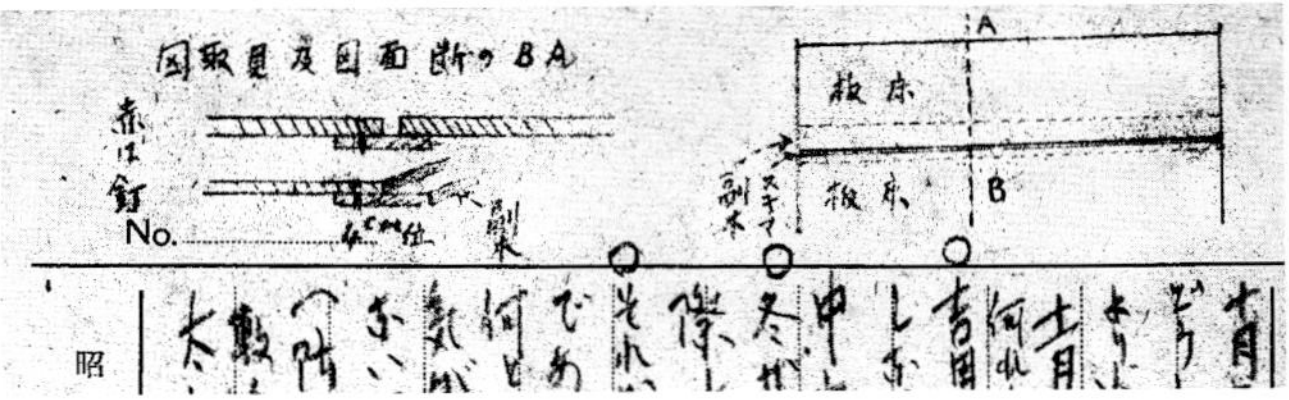

「お勝手の隙間風」の防ぎ方を図示した手紙。
(昭和19年11月28日付、本文47ページ)

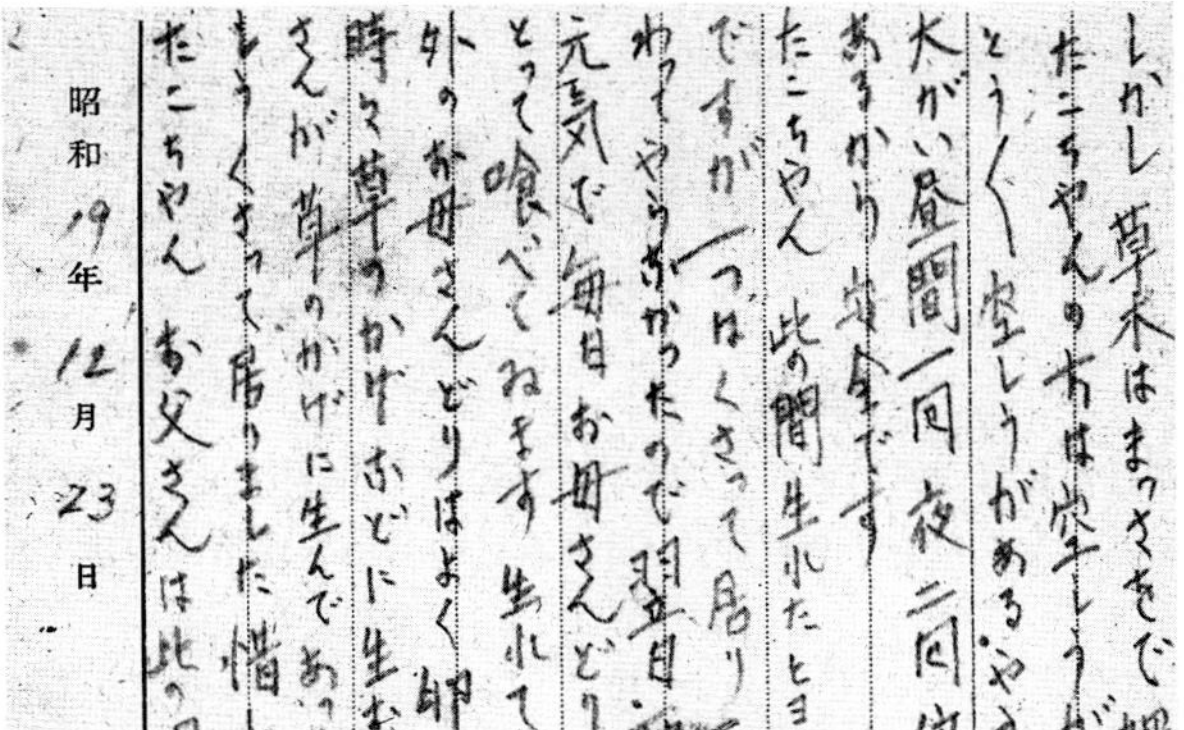
しかし 草木はまっさきで蝿
たこちゃんの方は窒しうが
とうく窒しうがある。やう
大がい昼間一回 夜二回位、
あずかり安全です
たこちゃん 此の間生れたヒヨ子
ですが 一つはくさって居り 二つ
わってやらなかったので 翌日
元気で 毎日お母さんどりに
とって喰べてねます 生れて
外のお母さんどりはよく卵を
時々草のかげなどに生むの
さんが 草のかげに生んであった
まうくさって居りました 惜しい
たこちゃん お父さんは此の間

昭和19年12月23日

栗林が飼っていた「四羽のヒヨコ」のことを書いた、たか子宛ての手紙。(昭和19年12月23日付、本文207ページ)

昭和18年８月に撮影された、唯一遺されている親族写真。妻・義井（後列左端）、次女たか子（後列左から３人目のおかっぱ頭の少女）、長女洋子（前列左端）。

たか子からの手紙の誤字を、父親らしく添削している。

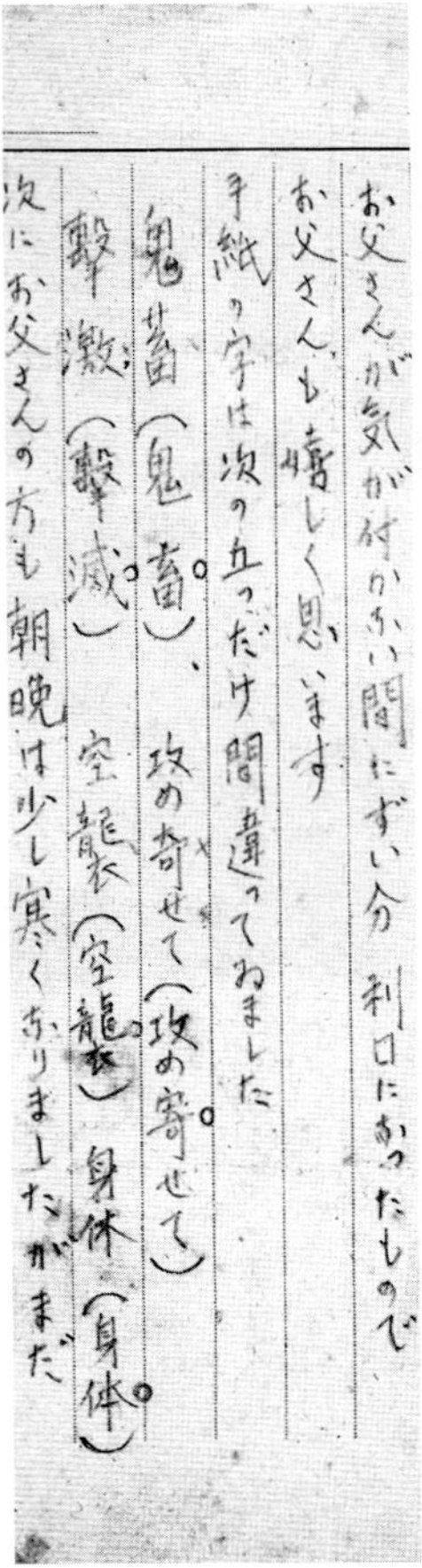
お父さんが気が付かない間にずい分利口になったもので
お父さんも嬉しく思います
手紙の字は次の五つだけ間違ってゐました
鬼畜（鬼畜）、攻め寄せて（攻め寄せて）
撃滅（撃滅）、空襲（空襲）、身体（身体）
次にお父さんの方も朝晩は少し寒くなりましたがまだ

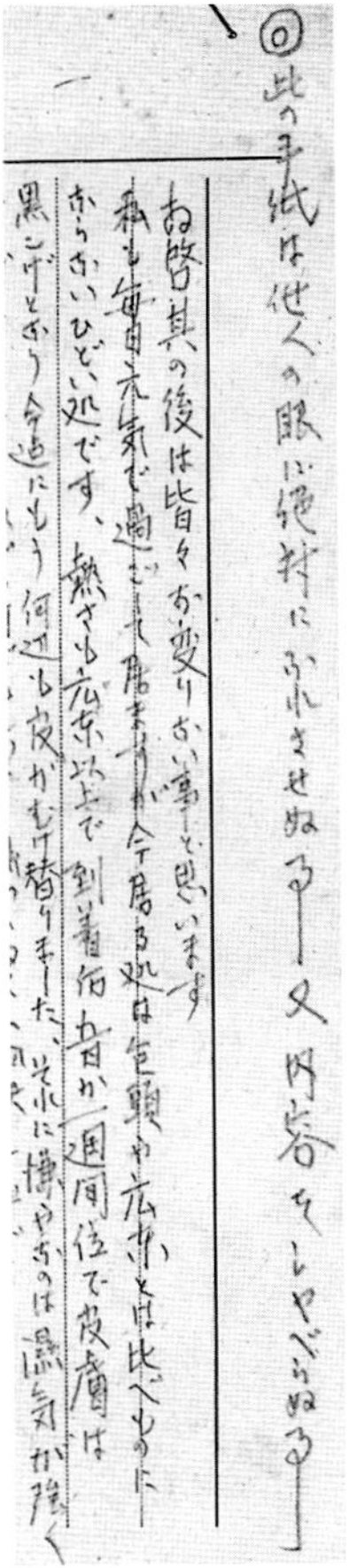
◎此の手紙は他人の眼に絶対にふれさせぬ事　又内容をしゃべらぬ事
拝啓　其の後は皆々お変りない事と思います
私も毎日元気で過ごして居ますが今居る処は台湾や広東とは比べものにならないひどい処です、熱さも広東以上で到着后五日か一週間位で皮膚は黒こげとなり今迄にもう何辺も皮がむけ替りました、それに

欄外に「此の手紙は他人の眼に絶対にふれさせぬ事　又内容をしゃべらぬ事」とある。
（昭和19年6月25日付、本文35ページ）

硫黄島での作戦会議風景。左から２人目が栗林総指揮官。

当番兵らに囲まれる栗林総指揮官。

（右ページとも撮影・朝日新聞社記者、宍倉恒孝）

昭和20年２月23日、硫黄島の摺鉢山に翻る星条旗。（本文86、218ページ）

火炎放射器で地下壕を焼き尽くしながら進む米軍。
（右ページとも写真提供・近現代フォトライブラリー）

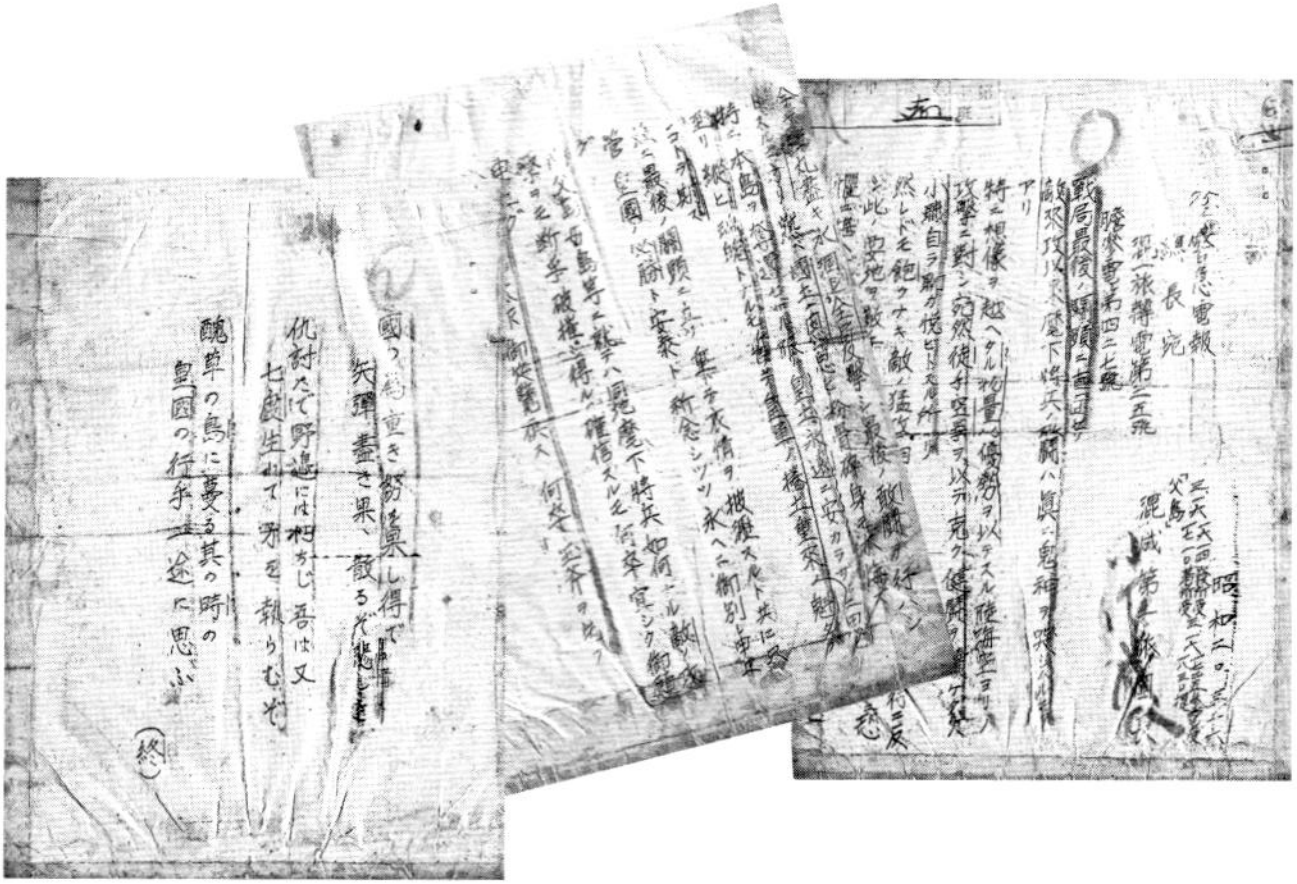

昭和20年３月16日、大本営宛てに発せられた訣別電報。左の写真に三首の辞世が見える。（本文21、26ページ）

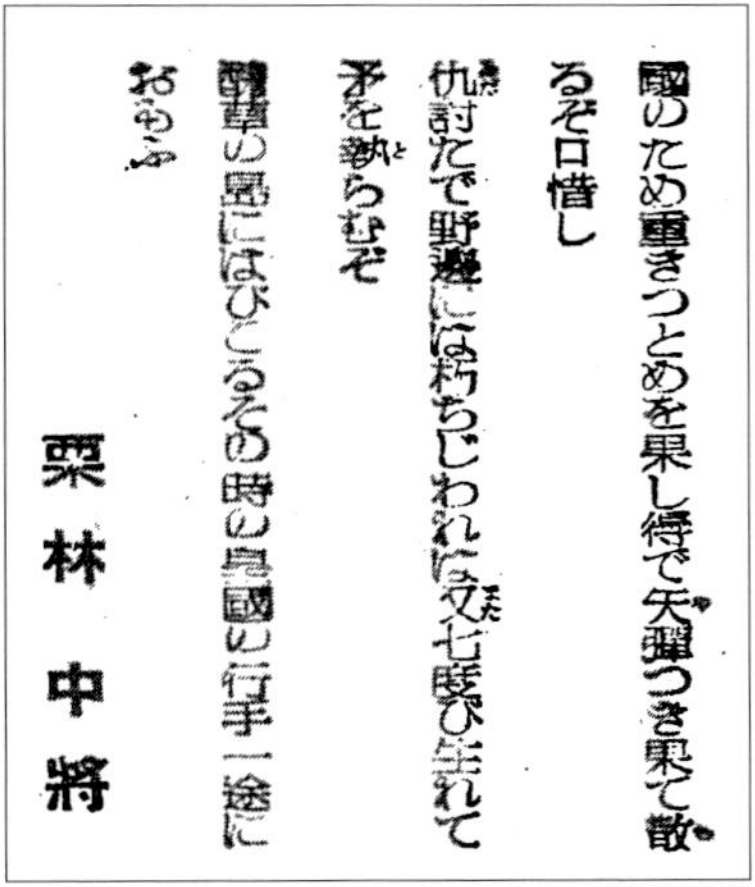

国のため重きつとめを果し得で矢弾つき果て散るぞ口惜し

仇《あだ》討たで野辺には朽ちじわれは又《また》七度生れて矛を執《と》らむぞ

醜草の島にはびこるその時の皇国の行手一途におもふ

栗林中将

『讀賣報知』昭和20年3月22日の1面から。栗林が遺した辞世が三首掲載されているが、一首目の末尾は「散るぞ口惜し」と改変されている。（掲載許諾・読売新聞社）

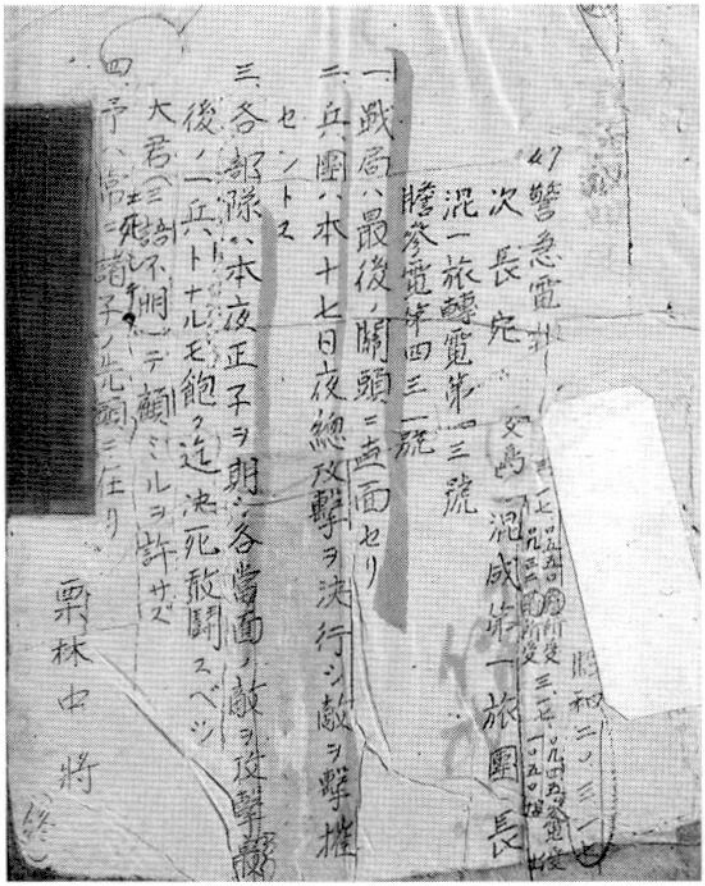

47 警急電報

次長宛

混一旅轉電第一三號

膽參電第四三一號

父島 混成第一旅團長

昭和二〇、三、一七

一、戦局ハ最後ノ関頭ニ直面セリ

二、兵團ハ本十七日夜総攻撃ヲ決行シ敵ヲ撃推セントス

三、各部隊ハ本夜正子ヲ期シ各當面ノ敵ヲ攻撃[illegible]後ノ一兵トナルモ飽ク迄決死敢闘スベシ大君（三語不明）テ顧ミルヲ許サズ

四、予ハ常ニ諸子ノ先頭ニ在リ

栗林中将

（終）

３月17日早朝、硫黄島全将兵に呼びかける内容の電報。末尾に、「予は常に諸子の先頭に在り」と記されている。（本文265ページ）

硫黄島図

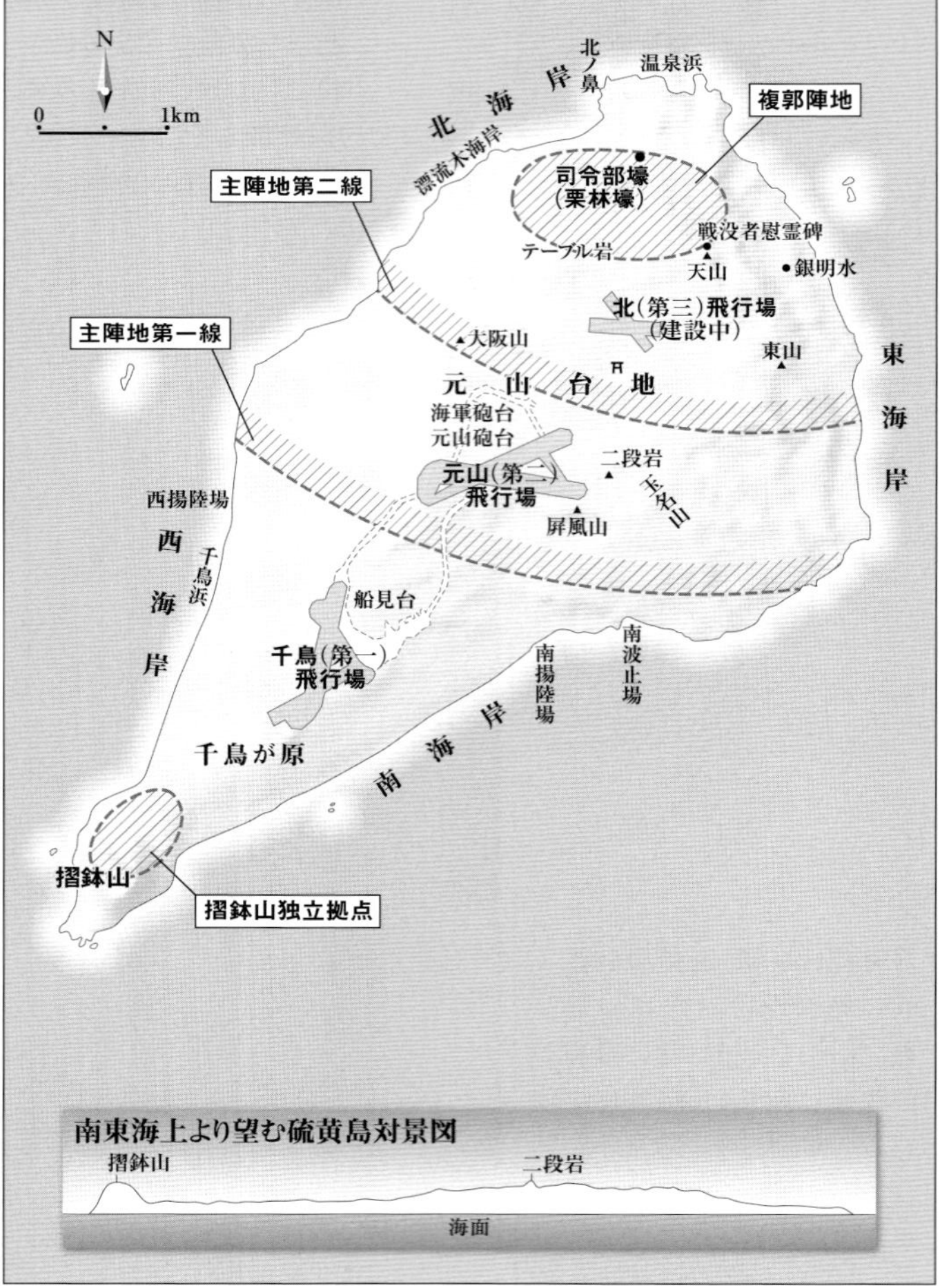

N
0
1km
北海岸
北ノ鼻
温泉浜
複郭陣地
漂流木海岸
司令部壕
(栗林壕)
主陣地第二線
戦没者慰霊碑
テーブル岩
天山
銀明水
北(第三)飛行場
(建設中)
主陣地第一線
大阪山
東山
東海岸
元山台地
海軍砲台
元山砲台
二段岩
元山(第二)
飛行場
玉名山
西揚陸場
屏風山
西海岸
千鳥浜
船見台
南波止場
千鳥(第一)
飛行場
南揚陸場
南海岸
千鳥が原
摺鉢山
摺鉢山独立拠点
南東海上より望む硫黄島対景図
摺鉢山
二段岩
海面

地図制作・(有)ジェイ・マップ

栗林忠道は総指揮官として全島をくまなく歩いた。
（撮影・宍倉恒孝）

＊写真提供のクレジットがないものは、すべて栗林文子氏の協力による。

新潮文庫

散るぞ悲しき

―硫黄島総指揮官・栗林忠道―

梯 久美子 著

新潮社版

8487

目次

散るぞ悲しき

硫黄島総指揮官・栗林忠道

プロローグ

その電報のことに話が及ぶと、それまで饒舌《じょうぜつ》だった彼がしばし沈黙した。そして、つと姿勢を正し目を閉じて、八五歳とは思えぬ張りのある声で誦《しょう》したのである。

戦局　最後の関頭に直面せり
敵来攻以来　麾下《きか》将兵の敢闘は
真に鬼神《きじん》を哭《なか》しむるものあり

八五歳と七九歳の夫婦が肩を寄せ合うようにして暮らす家の居間には、南国・高知のおだやかな陽光が差し込んでいる。座り心地のいい古びたソファには、東京の孫から「ペット代わりに」と送られてきたというロボットの犬が、箱に入ったまま置かれていた。「どうも、この年になると説明書が読めんでな」——さっき、そうぼやいたのとは別人の声で、彼は続けた。

特に　想像をこえたる物量的優勢をもってする
陸海空よりの攻撃に対し
宛然《えんぜん》　徒手空拳《としゅくうけん》をもって　よく健闘を続けたるは
小職みずから　いささか悦《よろこ》びとするところなり

しかれども　あくなき敵の猛攻に相次いで斃《たお》れ
ためにご期待に反し
この要地を敵手に委《ゆだ》ぬるほかなきに至りしは
小職のまことに恐懼《きょうく》に堪《た》えざるところにして
幾重にもお詫《わ》び申し上ぐ

今や弾丸尽き水涸《か》れ
全員反撃し　最後の敢闘を行わんと……

声がわずかにかすれ、時ならぬ朗誦は唐突に途切れた。

我に返った顔で私を見て、照れたように口元をゆるませた彼は、すぐに真顔に戻り、

「この電文は私にとって、お経のようなものなんです」

と言った。

「うちの閣下が、最後に遺《のこ》した言葉です。今もこうして、口をついて出てきます。一言一句、忘れることができんのです」

彼、貞岡信喜《さだおかのぶき》が「うちの閣下」と呼ぶのは、太平洋戦争末期の激戦地・硫黄島《いおうとう》の総指揮官として二万余の兵を率い、かつてない出血持久戦を展開した陸軍中将、栗林《くりばやし》忠道《ただみち》である。

周到で合理的な戦いぶりで、上陸してきた米軍に大きな損害を与えた栗林は、最後はゲリラ戦に転じ、「五日で落ちる」と言われた硫黄島を三六日間にわたって持ちこたえた。

貞岡が誦したのは、その栗林中将が玉砕を目前にした一九四五（昭和二〇）年三月一六日、大本営に宛《あ》てて発した訣別《けつべつ》電報の冒頭である。

米軍の中でも命知らずの荒くれ揃《ぞろ》いで知られる海兵隊の兵士たちをして「史上最悪の戦闘」「地獄の中の地獄」と震えあがらせた凄惨《せいさん》な戦場。東京から南へ一二五〇キロ、故郷から遠く離れた絶海の孤島で死んでいった男たちの戦いぶりを伝えんと、み

ずからも死を目前とした指揮官は、生涯最後の言葉を連ねたのだった。

硫黄島は、はじめから絶望的な戦場であった。

彼我の戦力の差を見れば、万にひとつも勝ち目はない。硫黄島の日本軍にはもはや飛行機も戦艦もなく、海上・航空戦力はゼロに等しかった。

陸上戦力においても、日本軍約二万に対し、上陸してきた米軍は約六万。しかも後方には一〇万ともいわれる支援部隊がいた。日本軍の玉砕は自明のことであり、少しでも長く持ちこたえて米軍の本土侵攻を遅らせることが、たったひとつの使命だった。

そんな中、自分の部下たち――三〇代以上の応召兵が多数を占め、妻子を残して出征してきた者が多かった――が「鬼神を哭しむる」、つまり死者の魂や天地の神々をも慟哭《どうこく》させずにおかないような、すさまじくも哀切な戦いぶりを見せたことを、せめて最後に伝えようとしたのである。

その部下の中に、貞岡は含まれていなかった。

「閣下のもとで死にたい」。二六歳の青年だった彼は、どんなにそう願ったかしれない。だが、それは叶《かな》わなかった。

彼は、軍人ではなく軍属であった。軍属とは、軍の勤務に服する身であるが、戦うことが任務ではない人たちのことである。

硫黄島玉砕からさかのぼること三年半。栗林が南支派遣軍（第二十三軍）の参謀長として広東《カントン》（現在の中国・広州）にいた一九四一（昭和一六）年、貞岡は、将校の衣類の修繕をする縫工部という部署で働くことになった。

ある日、栗林のもとで働いていた事務方の軍属がやって来て「参謀長がワイシャツを作ることはできないか訊《き》いておられます」と言う。縫工部が扱うのは基本的に軍服で、それも、つくろいものがほとんどである。ワイシャツを仕立てられる者はいなかった。

しかし貞岡は内地から持ってきていた自分のワイシャツをほどいて研究し、「私ができます」と申し出た。これがきっかけで栗林の私室に出入りし、親しく声をかけてもらうようになる。

といっても、当時五〇代初めの少将だった栗林と、裁縫係にすぎない二〇代の貞岡には天と地ほどの身分差がある。しかし栗林は、四国の田舎の出身で、成績はよかったものの進学できる環境になく、「大陸に渡って広い世界を見てみたい」と南支派遣軍の軍属に応募してきた貞岡に目をかけ、実に親身に接したのである。

高知市の中心部、はりまや橋にほど近い自宅に貞岡を訪ねたのは、硫黄島玉砕から五九年が経《た》とうとする二〇〇四（平成一六）年二月のことである。

あるきっかけから栗林中将に興味を持ち、調べるほどに心惹《ひ》かれるようになった私は、彼と縁の深かった元軍属の男性が健在であることを栗林の遺族に教えられ、連絡を取ったのだった。

「うちの閣下のことを好きな方なら、私にとって家族と同じです」

そう言って歓待してくれた貞岡は、一枚の写真を出してきた。一九四三（昭和一八）年、広東の南支派遣軍の駐屯地で撮られたものだという。

場所は兵舎の庭であろうか。白いカバーの掛かった椅子《いす》が置かれ、軍服に長靴《ちようか》姿の栗林が軍刀を手に座っている。横には軍用犬のジャーマン・シェパード。そして、後ろに立っている六人のうちの一人が、若い日の貞岡である。

「写真を撮ることになったとき、閣下が〝せっかくだから貞岡も呼んでやろう〟とおっしゃって、敷地内の宿舎にいた私のところに使いを出してくださったんです。この写真を撮った庭から宿舎まで、全速力で走っても往復一五分以上かかります。その間、閣下は私が来るのを待っていてくださったんです」

陸軍少将が裁縫係を一五分も待つなど、普通ならありえないことである。しかし栗林は、写真を撮ってもらうという当時めったになかった機会を、田舎育ちの貞岡に与えてやりたかったのだろう。写真の中で、緊張した面持ちの貞岡は、栗林のすぐ後ろにかしこまって立っている。

階級社会の最たるものである軍隊にあって、目下の者に気さくに接する栗林は異色の将官だった。入院した兵がいれば、みずから車を運転し、果物などを持って軍病院に見舞った。マラリアにかかった兵には氷を届けた。

しばしば同行していた貞岡が、ある日、

「閣下みずからのお見舞いとあっては、病人も恐縮してしまって、おちおち寝ていられないのではないですか」

と冗談交じりに言うと、その時は笑うだけだったが、次からは門の前で車を停め、貞岡に見舞いを届けさせて自分は待っていたという。

そんな栗林を貞岡は実の父以上に慕い、一九四三（昭和一八）年六月、栗林が中将に昇進して東京の留守近衛《このえ》第二師団に転任することが決まると、自分も転属願いを出してついて行ったのである。

しかしその一年後、総指揮官として硫黄島へ赴くことが決まったとき、栗林は貞岡の同行を許さなかった。

思いつめた貞岡は、栗林が硫黄島に出陣した一九四四（昭和一九）年六月から二か月たった八月、「閣下を追いかけて」硫黄島の北約二七〇キロにある父島行きの船に乗る。硫黄島は小笠原《おがさわら》諸島のほぼ南端に位置する島で、行政上は東京都に属する。小笠原諸島の政治・経済の中心は父島で、当時も本土と輸送船の行き来があった。

とにかく栗林のもとへ行きたい一心で、東京から横浜まで夜を徹して歩いた。そのまま港で一週間ほど待っていたら、父島行きの船があった。

「私は栗林閣下の軍属ですから、閣下のもとへ行かせてもらいます」

そう言って、船に乗り込んだのだという。

「書類や許可証？　そんなものは持っていませんでした。じゃあなぜ乗せてもらえたのかと言われれば、私にもわからない。戦局も悪化していましたから、どさくさに紛れてもぐり込めたんでしょう」

父島に着き、やっと通じた無線電話で話すことができたとき、栗林は「そんなところで何をしておるか。絶対にこちらに来てはならん」と声を荒らげた。

「うちの閣下に怒鳴られたのは、あとにもさきにも、あのとき一度きりでしたなあ」

それが栗林の声を聞いた最後だったと言って、貞岡は涙ぐんだ。

父島にはその年の一二月までとどまった。栗林は東京の留守宅の妻にあてた手紙の中で、貞岡のことにふれて次のように書いている。

貞岡は最近便で内地に帰るそうです。せっかく来たが私の許《もと》まで来れず、それに病気になって入院もしたりで、帰る気になったのです。東京へ着けば無論立ち寄るだろうから、その節は玄関だけにせず、何でもあるものを振舞ってやって下さい。やがては田舎に帰るのだそうです。
（昭和一九年一二月一一日付　妻・義井《よしゐ》あて）

無駄に死なせてはならぬとの思いから追い返したが、やはり、遠い南の果てまで追いかけてきた若者のことが心にかかっていたのだろう。わずか一一日後の手紙で、栗林はもういちど貞岡のことにふれている。

せっかく来たのに私に会えずに帰還し、結局、郷里に帰るのだと思う。戦争というものはみんなそうしたものだ。（昭和一九年一二月二二日付　妻・義井あて）

「せっかく来た」という言葉がふたたび使われている。ただひたすら自分に会いたくてやってきた貞岡の思いを、栗林は誰よりもよくわかっていたのである。「戦争というものはみんなそうしたものだ」との言葉には、軍人らしい諦観《ていかん》というよりも、自分自身に言い聞かせているかのような切実な響きがある。

その後、東京にぶじ着いたという知らせを受け、栗林は硫黄島から次のような便りを貞岡に送っている。

拝復　東京からの葉書着きました。当地でお会いできなかったことは残念ですが、ご無事ご帰還になったことは何よりと存じます。東京で留守宅の世話までして下さるようなお話ですが、ご厚情の段、深く感謝します。

小生もその後相変わらず非常に丈夫かつ元気で働いていますからご安心下さい。内地は寒いでしょう。どうぞ風邪などひかぬようご用心下さい。ではさようなら。

無線電話で怒鳴りつけたときとはうって変わったやさしい文面である。年若い軍属に宛てたものとは思えない丁寧な言葉遣いのこの便りは、「軍事郵便」の文字が印刷された葉書に、端正な毛筆でしたためられている。六〇年近い歳月を経て黄ばんだ葉書は、貞岡の自宅の金庫に今も大切に仕舞われてある。

この便りが書かれたのは、米軍による空襲や艦砲射撃がいよいよ激しさを増していた一九四四（昭和一九）年一二月末である。それから二か月もたたない翌一九四五（昭和二〇）年二月一九日、米軍は硫黄島に上陸を敢行する。栗林が戦死したのは、三月二六日の払暁《ふつぎょう》とされている。

貞岡がついに硫黄島に渡ることができたのは、栗林の死から三三年を経た一九七八（昭和五三）年のことである。硫黄島は戦後二三年間米国の占領下にあり、一九六八（昭和四三）年に返還されるまで渡島はできなかった。

慰霊巡拝団の一員として渡島した貞岡は、案内の人が栗林が潜んでいたと言われる司令部壕《ごう》を指さしたとき、思わずその方向に駆け出した。

「閣下ぁー、貞岡が、ただいま参りましたーっ！」

声を限りに、そう呼びかけながら。

高知から東京に戻って数日後、図書館で、硫黄島玉砕を伝える一九四五（昭和二〇）年当時の新聞記事を検索していた私は、あっと声を上げそうになった。

一九四五（昭和二〇）年三月二二日の朝日新聞。第一面に「硫黄島遂《つい》に敵手へ　最高指揮官陣頭に壮烈・全員総攻撃」との大見出しがあり、記事の中に栗林の訣別電報の全文が紹介されている。その文章が、あの日貞岡がそらんじたものと違っているのだ。

新聞では、訣別電報の冒頭は次のようになっている。

戦局遂に最後の関頭に直面せり
十七日夜半を期し　小官自ら陣頭に立ち
皇国の必勝と安泰とを祈念しつゝ
全員壮烈なる総攻撃を敢行す

取材ノートを取り出し、貞岡から口伝えに教えてもらった、あの日の電文のメモを確認する。その冒頭は、

戦局　最後の関頭に直面せり
敵来攻以来　麾下《きか》将兵の敢闘は
真に鬼神《きじん》を哭《なか》しむるものあり

であった。やはり、まったく違っている。同日付の讀賣《よみうり》報知および毎日新聞でも確認したが、電文は朝日新聞と同じであった。

壮健そのものに見えたとはいえ、貞岡は八五歳という高齢である。記憶違いがあってもおかしくはない。しかし、電文を誦《しょう》したときの朗々とした声がよみがえり、そんなはずはないと思い直した。ほかでもない「うちの閣下」の最後の言葉を、彼が間違えるだろうか。

私は思い立って、図書館なら置いてあるはずの、ある本を探した。戦後に防衛庁防衛研修所戦史室がまとめた『戦史叢書《そうしょ》』。もっとも詳細で客観的な戦史記録とされる、いわゆる公刊戦史である。この本になら、栗林の訣別電報の正確な文章が載っているはずだ。

やはりそれはあった。陸軍六八巻中の一三巻目、『中部太平洋陸軍作戦2　ペリリュー・アンガウル・硫黄島』の四一〇ページ。

戦局最後ノ関頭ニ直面セリ　敵来攻以来麾下将兵ノ敢闘ハ真ニ鬼神ヲ哭《ナカ》シムルモノアリ……

貞岡は間違っていなかった。あの日、彼がそらんじた文章は、完璧《かんぺき》に正しかったのだ。

ついで、硫黄島について書かれた本を片端からチェックしてみた。多くが栗林の訣《けつ》別《べつ》電報を引いているが、どれもみな公刊戦史と同じ文章になっている。貞岡もおそらく、いずれかの本で読んだのだろう。

ということは、新聞に掲載された電文が、改変されたものであることになる。

しかし、米軍の猛攻に耐え、一か月以上島を持ちこたえた栗林の評価は、軍中枢部《ちゅうすうぶ》でも高かったはずである。事実、小磯国昭《こいそくにあき》首相は三月二一日夜、硫黄島玉砕に際してのラジオ演説で栗林以下硫黄島守備隊を「日本精神の極致」「英雄的抗戦」と讃《たた》えている。

国民的な人気もあった。今でこそ栗林の名を知る人は少ないが、当時を知る年代の人に「硫黄島を知っていますか」と尋ねると即座に〝名将〟として栗林中将の名前が出てきた経験を、私は何度もしている。

その彼の最後の文章を、なぜ変える必要があったのか。ここに両者をくらべてみよう。まず、栗林の本来の電文。

戦局、最後の関頭に直面せり。敵来攻以来、麾下《きか》将兵の敢闘は真に鬼神を哭《なか》しむるものあり。特に想像を越えたる物量的優勢を以《もっ》てする陸海空よりの攻撃に対し、宛然《えんぜん》徒手空拳を以て克《よ》く健闘を続けたるは、小職自ら聊《いささ》か悦《よろこ》びとする所なり。然《しか》れども飽くなき敵の猛攻に相次で斃《たお》れ、為《ため》に御期待に反し此《こ》の要地を敵手に委《ゆだ》ぬる外なきに至りしは、小職の誠に恐懼《きょうく》に堪《た》へざる所にして幾重にも御詫《わび》申上ぐ。

今や弾丸尽き水涸《か》れ、全員反撃し最後の敢闘を行はんとするに方《あた》り、熟々《つらつら》皇恩を思ひ粉骨砕身も亦《また》悔いず。

特に本島を奪還せざる限り、皇土永遠に安からざるに思ひ至り、縦《たと》ひ魂魄《こんぱく》となるも誓つて皇軍の捲土重来《けんどちようらい》の魁《さきがけ》たらんことを期す。

茲《ここ》に最後の関頭に立ち、重ねて衷情《ちゆうじよう》を披瀝《ひれき》すると共に、只管《ひたすら》皇国の必勝と安泰とを祈念しつつ永《とこし》へに御別れ申上ぐ。〈後略〉

（原文は漢字＋カタカナ、句読点なし。傍線筆者）

そして、新聞に掲載された電文。

戦局遂に最後の関頭に直面せり
十七日夜半を期し小官自ら陣頭に立ち、皇国の必勝と安泰とを祈念しつゝ全員壮烈なる総攻撃を敢行す
敵来攻以来想像に余る物量的優勢を以て陸海空よりする敵の攻撃に対し克《よ》く健闘を続けた事は小職の聊《いささ》か自ら悦《よろこ》びとする所にして部下将兵の勇戦は真に鬼神をも哭《な》かしむるものあり
然れども執拗《しつよう》なる敵の猛攻に将兵相次いで斃れ為に御期待に反し、この要地を敵手に委ぬるのやむなきに至れるは誠に恐懼に堪へず、幾重にも御詫申上ぐ
特に本島を奪還せざる限り皇土永遠に安からざるを思ひ、たとひ魂魄となるも誓つて皇軍の捲土重来の魁たらんことを期す、今や弾丸尽き水涸れ戦ひ残れる者全員いよ〱最後の敢闘を行はんとするに方《あた》り熟々《つらつら》皇恩の忝《かたじけな》さを思ひ粉骨砕身亦悔ゆる所にあらず
茲《ここ》に将兵一同と共に謹んで聖寿の万歳を奉唱しつつ永へに御別れ申上ぐ

（新聞に掲載された原文のまま。傍線筆者）

両者はどう違っているのか。

栗林の電文では、まず最初に、将兵たちの戦いぶりが述べられている。が、改変された電文では、まず最初に将兵たちの姿ではなく「皇国の必勝と安泰」が強調されている。また「壮烈なる総攻撃」という言葉は、当時さかんに使われた、死を前提とした最後の突撃を美化する常套句《じょうとうく》であり、栗林の電文には出てこない。

後半は大きな改変はなされていないが、「将兵一同と共に謹んで聖寿（＝天子の寿命）の万歳を奉唱しつつ」という、栗林の文章にはない言葉が挿入されている。

そして、栗林の文章にあって、新聞では完全に削除されてしまっている語句がある。「宛然《えんぜん》（＝まるっきり）徒手空拳を以て」という部分である。

武器もなく補給も途絶えた中で戦わねばならなかった兵士たちの苦しみと悔しさ。栗林がもっとも伝えたかったであろうそのことが、削られてしまっているのである。「徒手空拳」を訴えるなどは泣き言であり、軍人たるもの、どんなに苦しくとも文句を言わず耐えて戦い、黙って死んでいくべきである――そんな当時の〝常識〟が透けて見えてくる。

栗林の電文には「皇恩を思ひ粉骨砕身」「皇軍の捲土重来」などという、当時の軍人の常套句が使われており、最高指揮官の訣別電報としての体裁は十分に整っている。しかし、ありありと描かれているのは、圧倒的に優勢な敵に「徒手空拳」で立ち向かわなければならなかった兵士たちが、「弾丸尽き水涸れ」て斃《たお》れていく姿である。そして、電文全体をつらぬいているのは「鬼神を哭しむる」という語に端的に示された、指揮官としての断腸の思いなのである。

当時の軍上層部は、そこに敏感に反応したのではないか。

訣別電報は大本営に宛《あ》てて発せられるが、新聞に掲載されて一般の目にもふれる。栗林は当然、それを意識していたはずである。栗林が将兵の戦いぶりを伝えようとした相手は大本営だけではなく広く国民一般であり、軍上層部は、栗林の文章をそのまま新聞に掲載することは差し障《さわ》りがあると判断したのであろう。

同じ日の朝日新聞の一面、硫黄島玉砕の記事のすぐ隣には、本土決戦に備えた軍事特別措置法案が議会に提出されたことを伝える記事が載っている。この法案は、本土決戦の事態となったとき、政府が土地・建物を収用し、個人を所要の業務に従事させ、法人にも無条件で協力させることに法的根拠を与えるものである。

「我々には勝利か死か、いずれかがあるのみ」「(一億同胞は)敵来《きた》らば軍隊とともに戦い断じて敵を撃滅せねばならぬ」(小磯首相演説)という情勢の中で、栗林の電文が、国民の士気に影響すると判断されたとしても不思議はない。

若い頃ジャーナリスト志望だった栗林は、硫黄島から家族に宛てた手紙に「新聞記者や何かにはいろいろ余計なことは話さないがよい。ことにお手紙でも見せてくれなどと言われてウッカリ見せたものならすぐ新聞にのせられてしまうから気をつける事です」(昭和二〇年一月二一日付 妻・義井あて)と書いているように、新聞などのメディアで自分がどう扱われるかを意識していた。兄、芳馬《よしま》に宛てた最後の手紙には、以下のような一節もある。

また取越し苦労の如《ごと》きを申し上げますが、およそ世の名士の立身出世伝の中には事実無根の記事が多く新聞雑誌に書き立てられがちのものです。例えば宇垣大将は少年時代大根を売り、あるいは新聞配達をし苦学勉励したるが如き説は事実と相違するもはなはだしく、これらは記者がかってに曲げて大げさに書き揃《そろ》えたのに過ぎません。

私は少年時代生家に育《はぐく》まれ、続いて長野中学、陸士、陸大などしごく順調に、先輩および世間の人々の後援と相まって今日に進み得たものであり、私の屍《しかばね》を恥かしめることがないようくれぐれもお願い申し上げます。

（昭和二〇年一月二一日付　兄・芳馬あて）

この時代のこの国において、玉砕総指揮官たる自分が死後どのように祭り上げられるかを栗林は冷静に見極めていた。訣別電報の文章は、新聞で報道されることがわかっていて、あえてしたためたものだったのである。

ところで、訣別電報の最後には、栗林の辞世が三首、添えられている。

国の為重きつとめを果し得で　矢弾《やだま》尽き果て散るぞ悲しき

仇《あだ》討たで野辺には朽ちじ吾《われ》は又　七度生れて矛《ほこ》を執《と》らむぞ

醜草《しこくさ》の島に蔓《はびこ》るその時の　皇国《みくに》の行手一途《いちず》に思ふ

辞世において国を思う心と天皇への帰依《きえ》をうたいあげることは、皇国の軍人としての常道である。二首目の「七度生れて矛を執らむぞ」という表現などは、「七生報国《しちしょうほうこく》」

（七たび生まれ変わって国に報いる）という、当時のまさに常套句を織り込んだものであり、敗軍の将の辞世として、ある意味で紋切り型のものであるともいえる。

しかし、ここでもまた、見逃すことのできない改変がなされていた。

一首目の最後、「散るぞ悲しき」が、新聞では「散るぞ口惜《くちお》し」と変えられているのである。

国のために死んでいく兵士を、栗林は「悲しき」とうたった。それは、率直にして痛切な本心の発露であったに違いない。しかし国運を賭《か》けた戦争のさなかにあっては許されないことだった。

後日、私は栗林の遺族を訪ね、訣別電報の実物を見せてもらった。

大本営に宛てた電報であるにもかかわらず遺族の手元に遺《のこ》されているのは、栗林の戦死後、当時の大本営陸軍部第二十班長だった種村佐孝大佐が栗林宅を訪ね、「この電報をもって、ご遺骨と思わるべし」と、妻・義井に手渡したからである。硫黄島は、将軍から兵卒に至るまで、遺骨の還《かえ》らぬ戦場であった。

遺された電報は受信した通信手の手書きによるもので、三枚に分かれている。辞世の歌が記されているのは、その最後、三枚目である。

三首並んだ歌のうち、改変された一首目の頭には朱書きで二重丸が付されている。

そして「悲しき」の文字が黒い墨の線で消され、横に「口惜し」と書き直してある。墨の線は生々しく、朱筆の色は今も鮮やかである。

本文が改変された跡は、この電報には残っていない。本文のほうは、新聞に発表する際に、原文を作りかえる〝作文〟がなされたのであろうか。だとすると、大本営の目にまずとまり、見過ごすわけにいかないとされたのは、辞世の歌の「悲しき」のほうだということになる。

貞岡は、栗林の訣別電報を「お経のようなもの」と言った。そのとき私は、彼が栗林を思い、その霊を慰めるためにこれを唱えているのだろうと解釈した。しかし、改変された新聞の文章と比べてみることで、最初はいかにも軍人らしい美文のように思えた栗林の訣別電報が、別の様相を呈して立ち現れてきた。

この電報は、死んでいった、あるいはこれから死んでいこうとする兵士たちへの鎮魂の賦《ふ》だったのである。だからこそ、栗林の部下として死ねなかった貞岡にとって、これを唱えることは、栗林に代わって彼の二万の部下たちを弔う行為だった。それが貞岡の言う「お経」の意味であったのだ——。

このとき、私はまだ知らなかった。死んでゆく兵士たちを「悲しき」とうたうことが、指揮官にとってどれほど大きなタブーであったかを。エリート軍人たる栗林が、いたずらに将兵を死地に追いやった軍中枢部への、ぎりぎりの抗議ともいうべきこの歌を詠《よ》むまでに、どのような戦場の日々があったのかを。

第一章　出征

陸軍中将・栗林忠道が硫黄島《いおうとう》へ向けて出発したのは、一九四四（昭和一九）年六月八日のことである。家族に行き先は知らされなかった。当時、栗林のような職業軍人であれ、召集された兵であれ、どこの戦地に向かうのかを家族が知ることはなかった。

「今度は骨も帰らないかもしれないよ」

妻・義井《よしゐ》はそう告げられたが、そのときの夫の顔があまりにも穏やかだったので、それほど深刻には考えなかった。

その朝、自宅で囲む最後の食卓に上《のぼ》ったのは、鰊《にしん》の昆布巻きと赤飯だった。義井が赤飯を炊《た》いたのは出征を祝うためではなく、昔からの夫の好物だったからである。

当時の栗林家は、妻・義井（当時四〇歳）、長男・太郎（同一九歳）、長女・洋子（同一五歳）、次女・たか子（同九歳）の五人家族。帝都線と呼ばれていた京王井の頭線の東松原駅に近い一軒家に住んでいた。

ここに一家が越してきてから、実はまだ二か月ほどしか経《た》っていなかった。

一九四一（昭和一六）年九月に南支派遣軍（第二十三軍）参謀長として広東《カントン》に赴任し、同年一二月の香港《ホンコン》攻略に参加した栗林は、一九四三（昭和一八）年六月、首都東京の防衛を任務とする留守近衛《このえ》第二師団の師団長となる。しかし翌年四月、部下が火事を出したことから責任を取って職を辞し、東部軍司令部付となった。そのため師団長時代に住んでいた官邸を出て、東松原の家を借りることになったのだ。

東部軍司令部付というのは、いわば閑職にあったのはわずかな期間で、五月二七日には第百九師団長を拝命する。師団とは、戦闘のためのあらゆる機能を持ち、独自に作戦を行うことのできる大規模な部隊のことである。

第百九師団は小笠原《おがさわら》諸島の守備を強化するため、すでに父島にあった部隊を基幹として新しく編成された師団だった。その師団長となった栗林は、新しい家に落ち着く暇もなく指揮官として硫黄島へ赴くことになった。

出征する栗林を見送ったのは、妻の義井と次女のたか子である。太郎と洋子はそれぞれ学校に行っていた。

朝、太郎が家を出るとき、父は縁側でひげを剃《そ》っていた。「行ってきます」「おう」。淡々とした親子の別れであった。

大泣きして父を困らせたのは、九歳のたか子だった。松原小学校に通っていたが、たまたま父兄会のために授業が短縮され、父の出発に間に合ったのである。普段は利発で聞き分けのいいたか子が何故《なぜ》かぐずるのを、この日は誰も叱《しか》ることができなかった。

迎えの車が門前に到着したのは、午後の早い時間である。父が死地に赴こうとしていることなど知るはずのない幼い娘は、しかし、車を見送った後も長いこと泣きやまずにいた。

たか子がこの日いつまでも座り込んで泣いていた玄関は、父との思い出の場所だった。時間に厳格な栗林は毎朝支度を早めに済ませ、副官が車で迎えに来るのを玄関で待つのが習慣だった。その短い待ち時間に「たこちゃん、踊りを見せてくれないかい」と登校前のたか子に頼むのである。長じて大映のニューフェイスとして女優デビューすることになるたか子は、上がり框《かまち》を舞台代わりに『雨降りお月さん』を唄《うた》いながら、日本舞踊のまねごとをして父を喜ばせた。

栗林は硫黄島に着任した直後、たか子に次のような手紙を書き送っている。

たこちゃんへ

たこちゃん、元気ですか？

お父さんが出発の時、お母さんと二人で御門に立って見送ってくれた姿が、はっきり見える気がします。

それから、お父さんはお家《うち》に帰って、お母さんとたこちゃんを連れて町をあるいている夢などを時々見ますが、それはなかなかできないことです。

たこちゃん、お父さんはたこちゃんが早く大きくなって、お母さんの力になれる人になることばかりを思っています。

からだを丈夫にし、勉強もし、お母さんの言いつけをよく守り、お父さんに安心させるようにして下さい。

それではさようなら　　　戦地のお父さんより
（昭和一九年六月二五日付　次女・たか子あて）


四〇歳を過ぎてから授かった末娘を、父は「たこちゃん」と呼んでことのほか可愛《かわい》がった。そのたこちゃんの夢を、栗林は戦地で何度も見たようだ。


たこちゃん！　元気ですか？　お父さんは元気です。

ゆうべも寝てすぐと明け方との二回、空襲がありましたが、お父さんは面白いゆめを見ました。

それはたこちゃんがおふろから上ってめそめそ泣いていましたから、お父さんは「どうして泣くの　おふろがあつかったからかね？」と尋ねていると、お母さんが笑いながら出て来て「きっと甘いものがほしいからでしょう」と言うてお乳を出して飲ませ、二人して寝ころがりましたが、その時、たこちゃんはほっぺたをふくらしてスパスパおちちを飲んで、とてもうれしそうにしていました。

そこへまたねえちゃんが出て来て、「たこちゃんはこんなに大きくなってオッパイ飲むとは、あきれたあきれた」と言いながら、たこちゃんのほっぺたつつきました。

それだけですが、お父さんはみんなの顔がはっきり見えたので、会ったも同じようでした。どうです、面白い夢でしょう。


（昭和一九年一一月一七日付　次女・たか子あて）


たこちゃん、お父さんはこの間また、たこちゃんのゆめを見ましたよ。

それはたこちゃんがとてもせいが高くなっていて、お父さんくらいありました。

そして、お父さんのズボンをはいていましたが、頭はおかっぱでした。

あまりせいが高いのでお父さんはびっくりしていたら、そこへ丁度お母さんが出て来ましたので、二人でいつもよくしてあげたように、おっぷりまわしてやろうとしましたが、とても重くなっていて、それはできませんでした。

（昭和一九年二月二三日付 次女・たか子あて）

めそめそと赤ん坊のように泣くたか子を夢に見たのは、出征のときの泣き顔が眼前を去らなかったためだろうか。

そして翌月、今度は大人になったたか子の夢を見ている。「せいが高く」「とても重く」なってはいても、たか子は父のお下がりのズボン――軍属の貞岡が仕立て直したものだという――をはいており、髪型は門前で別れたときと同じ「おかっぱ」のままである。栗林が成長したたか子の姿を夢の中以外で見ることは、ついになかった。

栗林は随分と筆まめな人だったようだ。私が彼に興味を持ったきっかけも、たまたま目にした一通の手紙であった。戦史を扱った本の中で見つけたその手紙は、たか子に書き送った最初の手紙と同じ六月二五日に、妻・義井に宛《あ》てて書かれたものである。

文中に「私からの手紙はこれからはもう来ないものと思って下さい」とあるから、遺書のつもりだったのだろう。しかし、四〇〇字詰め原稿用紙に換算すると七枚以上になるその手紙は、軍人の遺書としてあまりにも意外なものだった。

手紙はまず、島の様子と将兵たちの生活について説明している。

水は湧水《わきみず》は全くなく、全部雨水を溜《た》めて使います。それですからいつも、ああツメたい水を飲みたいなあと思いますが、どうにもなりません。

蚊と蠅《はえ》と多い事は想像以上で全く閉口です。新聞もなくラジオもなく、店屋一つありません。地方農民の家がソチコチにホンの少しありますが、みな牛馬の住む程度のものです。兵隊達は全部、天幕露営か穴居生活です。穴居は風通し悪く蒸しあつく、ソレハソレハ大変です。私も無論そういう生活です。

そして、着任早々、島が空襲を受けたときの様子を、次のように描写している。

空襲もすでに三遍《べん》受け、激しい爆弾、焼夷弾《しょういだん》の雨と機関銃掃射を受けました。去る十六日の如《ごと》きは大型爆弾が防空壕《ぼうくうごう》の傍に落ち大爆発を起し、その瞬間、防空壕と共にフッ飛んでしまったかのように思いましたが、幸いに傷一つありませんでした。激しい空襲間は、ただ防空壕の中で固唾《かたず》を呑《の》んで、神仏に祈っているほか何の手もありません。

栗林が着任した六月、硫黄島は一五日、一六日、二四日と三度にわたって米軍の組織的な空襲を受けている。この三日間で日本側は計一〇〇機以上の航空機を失い、一六日の空襲では四〇名に及ぶ死傷者が出た。このことは将兵の意気を消沈させるに十分であり、栗林は危機感を強めたに違いない。米軍が上陸してきたのは八か月後の一九四五（昭和二〇）年二月だが、この頃からすでに一瞬たりとも油断のできない状況になっていたのである。

手紙では「もし私のいる島が敵に取られたとしたら、日本内地は毎日毎夜のように空襲されるでしょう」として、家族に早めに疎開《そかい》することを勧めている。さらに、

夫として父として、御身達にこれから段々幸福を与え得るだろうと思った矢先この大戦争で、しかも日本として今最も大切な要点の守備を命ぜられたからには、任務上やむを得ないことです。

と現在の心中を述べ、

最後に子供達に申しますが、よく母の言いつけを守り、父なき後、母を中心によく母を助け、相はげまして元気に暮して行くように。特に太郎は生れかわったように強い逞《たくま》しい青年となって母や妹達から信頼されるようになることを、ひとえに祈ります。洋子は割合しっかりしているから安心しています。お母ちゃんは気が弱い所があるから可哀相《かわいそう》に思います。たこちゃんは可愛がってあげる年月が短かった事が残念です。どうか身体《からだ》を丈夫にして大きくなって下さい。

と書いている。まさに遺書といっていい内容である。

そして「妻へ　子供達へ　ではさようなら　夫、父」と結んだ後に、「追伸」として次の三項目が付け加えられている。

一、持って来たものの中、当座いらないものをこの便で送り返します。記念《カタミ》の品となるとも思います（遺品、遺骨の届かない事もあります）。軍用行李《こうり》が届いたらあるいはまた送り返すものがあるかも知れません。ウィスキーその他の追送は一切不要です。届くか届かないかも不明だし、届いてもその時はもう生きていないかも分りません。

二、家の整理は大概つけて来た事と思いますが、お勝手の下から吹き上げる風を防ぐ措置をしてきたかったのが残念です。太郎に言いつけて来たことは順々にやった事と思います。師団の林はまだあれきりでしょう。

三、私は今手紙をどこへも一切出しておりません。もし昔の兵隊や友達などから問合せのあった時は、ただ南方某地へ出征したという事だけ返事してやって下さい。

一からは、出征の際に持って行った身の回りの品を、ひと月もたたぬうちに送り返していることがうかがえる。島へ渡って改めて、生きてここを出ることはないと悟り、戦死すれば遺品は還《かえ》らないので今のうちに形見として送っておこうと思ったのかもしれない。あるいは、赴任してみて最低限の身の回り品以外は不要と判断したのか。「一口に言えば、信州の飯《いい》綱《づな》原とか菅平《すがだいら》とか不毛の原野で穴居生活している訳で、考えようによっては地獄の生活」と書いているように、硫黄島はまさに荒野のごとき場所であった。

私が驚き、興味をひかれたのは、この内容を読んだときだった。

二万余の兵を束ねる最高指揮官が〝遺書〟の中で、お勝手の隙間《すきま》風を気にしているのである。このとき栗林は五二歳。出征直前には天皇に拝謁《はいえつ》して直接激励されるという名誉に浴している。その彼が最後の心残りとして記したのが、留守宅の台所のことだったのである。

硫黄島は、太平洋戦争においてアメリカが攻勢に転じた後、米軍の損害が日本軍の損害を上回った唯一《ゆいいつ》の戦場である。最終的には敗北する防御側が、攻撃側にここまで大きなダメージを与えたのは稀有《けう》なことであり、米海兵隊は史上最大の苦戦を強いられた。

米軍側の死傷者数二万八六八六名に対し、日本軍側は二万一一五二名。戦死者だけを見れば、米軍六八二一名、日本軍二万一二九名と日本側が多いが、圧倒的な戦闘能力の差からすれば驚くべきことである。
日本軍が各地で敗退を続ける中、乏しい装備と寄せ集めともいえる兵隊たちを率い、これだけの戦いができたのは、栗林の断固たる統率があったからである。敵将からの評価も高く、硫黄島上陸作戦を指揮した米軍海兵隊の指揮官ホーランド・M・スミス中将は、その著書の中で次のように述べている。

栗林の地上配備は著者（筆者注・スミス中将）が第一次世界大戦中にフランスで見たいずれの配備よりも遥《はる》かに優れていた。また観戦者の話によれば、第二次世界大戦におけるドイツ軍の配備を凌《しの》いでいた。

（「米国海兵隊と太平洋進撃戦」より）

「敵ながら天晴《あっぱ》れ」といったところであろうか。栗林は、アメリカをもっとも苦しめた闘将だったのである。
戦史に残る壮絶な戦いを指揮した軍人はまた、自宅のお勝手の隙間風が心配で仕方のない夫でもあった。その両方を生きたのが栗林という人であったことを、彼の風変わりな〝遺書〟は物語っている。

栗林の〝遺書〟がいかに異色のものであるかは、ほかの軍人のものとくらべてみるとよくわかる。軍人の手紙や遺書は、それが家族に宛てた私的なものであっても、淡々として簡潔なものが多い。万感を胸に秘め、あえて多くの言葉を費やさない。その潔《いさぎよ》さがかえって胸を打つのである。

たとえば作家の半藤一利《はんどうかずとし》は、著書『戦士の遺書』のあとがきの中で、戦艦大和に搭乗して生き残った海軍少尉《しょうい》吉田満《みつる》が両親に宛てた遺書を紹介している。

私ノモノハスベテ処分シテ下サイ　皆様マスマスオ元気デ、ドコマデモ生キ抜イテ下サイ　ソノコトヲノミ念ジマス

ただこれだけの簡潔な遺書の奥にあった懊悩《おうのう》と両親への深い愛情に半藤は思いを致し、吉田少尉が戦後に綴《つづ》った記録である『戦艦大和ノ最期《さいご》』から、彼が当時の自分の真実の気持ちを表わした以下のような文章を引いている。

母ガ歎《なげ》キヲ如何《いか》ニスベキ
先立チテ散ル不幸ノワレニ、今、母ガ悲シミヲ慰ムル途《みち》アリヤ

母ガ歎キヲ、ワガ身ニ代ツテ負フ途残サレタルヤ
更ニワガ生涯ノ一切ハ、母ガ愛ノ賜物ナリトノ感謝ヲ伝フル由《よし》モナシ
イナ、面ヲ上ゲヨ
ワレニアルハ戦ヒノミ　ワレハタダ出陣ノ戦士タルノミ
打チ伏ス母ノオクレ毛ヲ想《おも》フナカレ

身をしぼるような思いはあえて記さず、短く形式的な言葉に託す。それが日本の武人たるものの美学であった。

半藤はこの本の中で、山本五十六《いそろく》の〝遺書〟も紹介している。死後、机の中から見つかった「遺品処理の件」と記された文書である。

一、機密漏洩《ろうえい》の虞《おそれ》あるに付、私品と認めらるる書籍、書類、手紙等一切は、級《クラス》会幹事堀中将指定の場所へ御届願上度《たし》
一、此他《このた》の荷物（呉水交社に一個あり）中、戦時寄贈品等は可然《しかるべく》〔二字不明〕処理相成度く

実に素っ気ないほどの簡潔さである。これが帝国軍人の真骨頂ということなのだろう。

こうした遺書にくらべると栗林の遺書はずいぶんと日常的で所帯臭く、当時の軍人としては女々しいとさえ言える。しかし、私はそこに惹《ひ》かれた。そして、この異色の指揮官のことをもっと知りたいと思ったのである。

栗林の遺族の消息を調べてみたところ、東京都昭島市に長男・太郎が健在であることがわかった。静かな住宅地の一角にある家を訪ねたのは、二〇〇三（平成一五）年秋のことである。

古い一軒家の、狭いが暖かい雰囲気の居間。隣の和室との間の襖《ふすま》が開け放ってあり、鴨居《かもい》の上に軍服姿の栗林中将の写真が掲げてある。

七九歳になる栗林忠道の長男・太郎は、ひょろりとした長身を縮めるようにして安楽椅子《いす》に収まっていた。老いた飼い猫が、廊下との境のドアをかりかりと引っ掻《か》くと、そのたびに立っていって開けてやる。ゆっくりと話すおだやかな声からも、俯《うつむ》きがちの優しげな風貌《ふうぼう》からも、戦史に残る闘将の子息という印象は伝わってこない。

栗林が硫黄島に出征したとき、太郎は早稲田大学理工学部の学生だった。建築を専攻し、戦後は一級建築士として活躍した。高位の軍人は自分の息子を陸軍幼年学校に入れることが多いが、栗林はそれをせず、陸軍士官学校の受験も勧めなかった。父から軍人になれと言われたことは一度もなかったと太郎は言う。

テーブルの上に、分厚いバインダーファイルが用意してあった。「どうぞ」と促されて開くと、B5サイズの黄ばんだ用箋《ようせん》が一枚一枚ていねいにファイルされている。硫黄島からの手紙だった。

用箋は陸軍支給のものであろう、日付とページを書き入れる欄があり、左下に「栗林忠道」と印刷されている。紙は黄ばんでいるものの、細かい鉛筆の文字は黒々としていて、ついさっき書かれたかのようだ。

縦罫《たてけい》の二行分のスペースに三行の割合でびっしりと文字が詰まっており、どの手紙も、紙の節約のためか表だけでなく裏にも文章が書かれている。

驚いたのは手紙の数の多さである。子供たちに宛《あ》てたものを含めると、米軍上陸までの約八か月で四一通に及んでいる。お勝手の隙間風が心残りだと書いたあの便りは、最後の手紙にはならなかったのである。

順番に読んでいった私は、どの手紙もみな、無事を伝える文章で始まっていることに気がついた。

「前略　私は相変わらず達者ですから御安心下さい」「私は丈夫一方で働いていますから御安心下さい」「至って元気で過ごしているから御安心下さい」「私はまだ無事息災ですから御安心下さい」——。今日はまだ命があるということが、当時の栗林が家族にまず知らせるべきニュースだったのである。冒頭の一文は必ず「御安心下さい」の言葉で結ばれている。

「お勝手の隙間風」についてはその後も気にかけていたと見え、最初の手紙から五か月たった一一月の手紙にこんな一節がある。


それからまだ知らせを受けないが、お勝手の床板の隙間は塞《ふさ》げたであろうか？床下から吹き上げる風で冷え込む話はいつも聞かされ、何とかしてやるつもりでいて、ついついそのまま出征してしまったので、今もって気がかりであるから太郎にでも早速やらせるがよい。

それでできない間は、悪い薄べりを二つ折りにして敷くか「ルーヒングペーパー」（防空壕に使った余りが物置に少しあるはず）を適当の大きさに切って敷くもよかろう。ただしルーヒングはあまり長持ちはすまいと思う。

（昭和一九年一一月二八日付　妻・義井あて）

この手紙では「太郎にやらせるとすれば上図のようにすればよかろうと思う」として、隙間風の防ぎかたを図示までして説明している。上から見た図と断面図の両方が描かれ、釘《くぎ》を打つべき箇所は赤鉛筆で記すなど、具体的かつ詳細である。

そのほかの手紙を見ても、栗林という人がいかに留守宅の家族の生活を気にかけていたかがわかる。

たか子（筆者注・義井夫人の郷里に疎開《そかい》中であった）には小づかいを持たせてあるでしょうね。

それから母へ手紙を出せるための封筒、便箋、切手とかも持たせてやってあるでしょうね。

チリ紙、歯ミガキその他日用品なども……

（昭和一九年九月四日付　妻・義井あて）

風呂《ふろ》の話をすれば、ウチでも五日くらいにいっぺんは立てないとまずいでしょう。少人数のことだから二晩はつづけて立てられるでしょう。二晩つづけて立てる場合は、最初の晩の上がり際《ぎわ》に、湯の中に手腕をすっかり入れて一方向に勢いよくグルグル回し、湯をシッカリ、コマのように廻し、そこへ洗面器をほうり込むと、洗面器も湯の中で廻りながら沈みますが、その時湯垢《ゆあか》を奇妙に吸い取ります（その洗面器は翌朝取り上げる）。やってみたらいいでしょう。

（昭和一九年一一月一七日付　妻・義井あて）

冬になって水が冷たく、ヒビ、赤ギレが切れるようになったとの事、ほんとにいたわしく同情します。水を使った度《たび》に手をよくふき拭《ぬぐ》い、熱くなるほどこすっておくとよいでしょう。

（昭和一九年一二月一一日付　妻・義井あて）

よくもこんなにこまごましたことまでと思うほど、生活の細部について心配し、繰り返しアドバイスを書き送っている。ただ優しい言葉をかけているだけではなく、必ず具体的な対処方法を示しているのが特徴である。自分のいない自宅を思い浮かべ、何が不便でどんなことに困っているのかを常に考えていたのだろう。

文面からうかがえるのは、遠く離れてもなお、何とか家族の暮らしを支えようとする家長としての思いである。しかしあるいは、留守宅の日常をありありと思い浮かべる時間をもつことで、彼は自分自身を支えていたのかもしれない。

栗林は、いつ米軍が上陸してくるかわからない状況下でこれらの手紙を書いていた。空襲が日々激しくなり、徹底抗戦に備えた地下陣地づくりは地熱と硫黄《いおう》ガスに阻《はば》まれてなかなか進まない。そんな中で毎日、埃《ほこり》と汗にまみれながら陣地構築を見回って直接指揮をとっていたのである。

硫黄島に川は一本もなく、井戸を掘っても、出てくるのは硫黄分の多い塩水である。栗林を含む二万余の将兵の飲み水は、雨水を貯《たくわ》えてこれを用いるしかなかった。生命を支えるギリギリの量であるその水さえ汚染されており、兵士たちはパラチフスや下痢、栄養失調で次々に倒れた。

ただ戦争の現実だけがある荒涼とした島。そこにあって彼は、自宅のお勝手に思いを馳《は》せることで、人間らしい「日常」に何とか自分をつなぎとめていたのだろう。

出征直前の様子を太郎に尋ねると、最初は、「特に変わったことはありませんでした」という答えが返ってきた。いつもと同じように淡々としていたという。

しかしその後、当時住んでいた家の間取りなどについて話をするうち、ふと思い出したように、

「さっきの出征前の父の話ですが、そういえば……棚を作っていましたね」

と言った。

「棚、ですか？」

「ええ。台所とか、そのほかにも家の中のあちこちに」

当時の陸軍中将といえば、現在の閣僚クラスかそれ以上の地位に当たる。しかも、軍人として生命を賭《と》した戦いに赴く前夜である。その彼が、自分がいなくなった後の家族の不便を思い、みずから金槌《かなづち》を手に棚を作ったというのである。


栗林家だけではなく日本中のいくつもの家で、出征を控えた父親が家族のために金槌を手にしたかもしれない。それが最後の〝日曜大工〟になったかもしれない。しかし栗林には、それらの父親と一つだけ違うところがあった。

戦場とは上官の判断と命令によって兵士が命を落とす場所である。死ぬとわかっていても、突撃しろと言われればそうするしかない。しかし、最高指揮官である栗林だけは、誰からも命令されることがない。逆に、死ねと命じる立場なのである。

しかも栗林は、総指揮官としての自分の役割が「勝つ」ことではないと知っていた。

栗林を硫黄島の総指揮官に指名したのは、当時首相を務めていた東条英機である。その際、彼は栗林に「どうかアッツ島のようにやってくれ」と言ったという。アッツ島は、栗林が硫黄島へ行く前年の一九四三（昭和一八）年五月、米軍の上陸を阻止しようとして死闘を演じ、玉砕という名の全滅を遂げたアリューシャン列島の小島である。

大本営は硫黄島を死守せよと命じたが、太平洋の孤島を守りに赴くということは、もはや勝って敵を撃退することを意味しなかった。日本にはもうその力がなかったのである。ミッドウエー海戦での敗退以来、日本の敗色は日に日に濃くなり、戦力の差は開く一方であった。問題は、島をいつまで持ちこたえられるか。その一点だった。

しかし敗北が決定的になったとしても退却は許されない。「アッツ島のように」、粘れるだけ粘り、全員が死ぬまで戦わなければならないのだ。

では、何のために戦うのか。勝利がありえないとすれば、どんな目的のためならば、部下たちは〝甲斐《かい》ある死〟を死ぬことができるのか。その国力を知悉《ちしつ》するがゆえにアメリカとの開戦に最後まで反対していた栗林は、そう自問したはずである。

父として夫として、最後に家じゅうに棚を作って回ったその翌日。やがて必敗の戦場となる島、二万余の将兵が自分の命令ひとつで死んでゆく島に、栗林は立っていた。

第二章　二二キロ平米の荒野

上空から眺めると、硫黄島《いおうとう》は大海原に張りついた醜いかさぶたのように見える。爪《つめ》の先で引き剝《は》がせそうなほど薄っぺらく平らな土地は、どんな天候の日も褐色にくすんでいる。

面積はわずか二二キロ平米。世田谷区の半分にも満たない。日米合わせて八万人もの兵士が歴史に残る戦闘を演じたとは信じがたい、眇《びょう》たる孤島である。沖縄とほぼ同じ緯度に位置しているが、ここには白砂のビーチもなく、色あざやかな熱帯の花も咲いていない。

地形は北東‐南西にかけてやや細長く、上空から見た形は、しばしば「しゃもじ」に例えられる。南西の端にある標高一六九メートルの擂鉢山《すりばちやま》がもっとも高く、島の北東側には標高約一〇〇メートルの台地が広がっている。

この起伏に乏しい平坦《へいたん》な地形が、島の運命を決定づける一つ目の要因となった。滑走路の建設に適していたのである。

小笠原《おがさわら》諸島の他の島々は山が多く、飛行場には適さない。戦前からの要塞《ようさい》を有する父島には飛行場があったが、起伏の多い地形のため、拡張や新たな建設は難しかった。

これに対し硫黄島には、栗林が着任した一九四四（昭和一九）年六月の時点で、千鳥、元山の二つの飛行場があり、北東部にも新たな飛行場が建設中だった。

このちっぽけな島に、飛行場が三つ。つまりここは、洋上に浮かぶ〝不沈空母〟たりえる島だったのである。航空戦が勝敗を決する太平洋の戦いにあって、それは日米双方にとってもっとも必要なものだった。

栗林が師団長を務めることになった第百九師団の司令部は当初、父島に置くべしとする案もあった。指揮、通信、補給のすべてにおいて、小笠原諸島の中心地は父島だったからである。水が乏しく耕作も不可能な焦熱の島である硫黄島にくらべて、居住性も格段に高かった。

しかし栗林は、敵はかならず飛行場のある硫黄島を奪《と》りにくると確信していた。そして「指揮官はつねに最前線に立つべし」という信念に基づき、断固として司令部を硫黄島に置いたのである。そして着任から玉砕までの九か月間を兵士たちとともに過ごし、一歩も島を出ることはなかった。

硫黄島の運命を決することになったもうひとつの要因は、その位置である。

東京から一二五〇キロメートル、サイパンから一四〇〇キロメートル。両者を直線で結んだ、まさにちょうど中間に島はある。太平洋の島づたいに日本本土に攻め上《のぼ》ろうとしていた米軍にとって、最大の足がかりとなることは言うまでもない。

栗林が島にやってきた頃、米軍はサイパン、グアム、テニアンといったマリアナ諸島を虎視眈々《こしたんたん》と狙《ねら》っていた。そこを手に入れたなら、次に何としても欲しいのは硫黄島だった。

米軍は「超空の要塞」と呼ばれた新鋭爆撃機B-29をサイパンに配備しようとしていた。しかしこの巨大な爆撃機で日本本土を空襲しようとする場合、四つの大きな問題点があった。

第一に、サイパンを飛び発《た》ったB-29は、東京までの二六〇〇キロメートルの長い距離を、戦闘機の護衛なしに飛び続けなければならない。

第二に、それだけの距離を飛ぶ燃料のために、搭載する爆薬の量を減らさなければならない。

第三に、故障や被弾の際、不時着する場所がない。

第四に、硫黄島のレーダーが米軍機の接近を感知して本土に警報を発令、さらに硫黄島から飛び立った日本の戦闘機がB-29を攻撃してくる危険性がある。

硫黄島さえ手に入れれば、これらは一挙に解決するのである。

一方、日本側から見れば、硫黄島の失陥は、すなわち本土防衛の拠点の喪失ということになる。

硫黄島を奪取すれば、米軍は日本中のあらゆる都市に大規模な空襲を行うことができる。つまり、一般市民に戦禍が及ぶことになるのである。

また、フィリピンともマリアナ諸島とも違って硫黄島は東京都の一部、つまり日本の国土である。たとえどんなにちっぽけな島でも、ここを失うことは日本の歴史上初めて国土の一部を侵されることであり、何としてもそれは避けなければならなかった。


米軍がサイパンに上陸を開始したのは、栗林が硫黄島にやってきて一週間ほどたった六月一五日のことである。着任したその月に空襲を三度受けたという栗林の手紙を前章で紹介したが、これらの空襲は、たまたま行われたものではなかった。米軍がサイパンに上陸するにあたって、滑走路のある硫黄島を牽制《けんせい》する意図があったのである。

上陸後の米軍は、圧倒的な戦力でサイパンの日本軍を凌駕《りょうが》しつつあった。そして一九日にはサイパンにほど近いマリアナ沖で、のちに「マリアナ沖海戦」と名づけられた、日本艦隊と米軍機動部隊との一大海戦が始まる。

大きく劣勢に傾いていた日本軍は、「あ」号作戦と名づけて準備してきたこの海戦で、一気に反攻に出ようとした。そのために投入したのは、空母九隻《せき》、「大和」「武蔵」を含む戦艦五隻、重巡一一隻、駆逐艦二九隻、そして搭載機四五〇機。これは当時の日本海軍に可能な最大限の編成であった。

対する米機動部隊は、正規空母七隻、軽空母八隻、戦艦七隻、巡洋艦二一隻、駆逐艦六九隻など計一一二隻、搭載機は八九一機とされる。艦船、航空機ともに日本の約二倍である。

このマリアナ沖海戦に日本は惨敗《ざんぱい》し、「大和」や「武蔵」は無事だったものの、航空機の大半を失うことになる。さかのぼること二年前、それまでの快進撃が一転して劣勢に転じるきっかけとなったミッドウエー海戦以来、日本海軍が起死回生の望みをかけて養成してきた聯合艦隊《れんごうかんたい》は、ここに事実上の終焉《しゅうえん》を迎えたのである。

この海戦で米軍は、マリアナ諸島、小笠原諸島を含む中部太平洋の制空権・制海権を手中におさめた。サイパンが陥落するのは時間の問題であった。

大本営は、まだ日本の将兵が必死の抗戦を続けていた六月二五日、「サイパン放棄」を決定する。そして、サイパンに向わせるはずだった部隊を、フィリピン、台湾、南西諸島、硫黄島に振り向けることを決めた。

栗林が着任そうそう、家族に宛《あ》てて〝遺書〟をしたためたのには、このような背景があった。いよいよ硫黄島が最前線となることが確実になった時期だったのだ。

七月一日、硫黄島に大本営直轄《ちよつかつ》の小笠原兵団が設置され、栗林はその兵団長となった。第百九師団長を兼務したが、序列としては兵団長の方が上になる。

サイパン行きが決まっていた歩兵第百四十五聯隊と戦車第二十六聯隊は急遽《きゆうきよ》、硫黄島に行き先を変更し、栗林の指揮下に入った。この二つの聯隊は精鋭で、のちに硫黄島防衛の主幹となる。「あ」号作戦の失敗からサイパンを見限った大本営は、硫黄島の防衛に本腰を入れ始めたのである。

しかし、東条首相が「難攻不落」と豪語したサイパンを米軍上陸開始からたった一〇日間で見限ったように、この後、硫黄島に関しても大本営の方針は二転三転する。そして最終的には、米軍の上陸直前になって「敵手に委《ゆだ》ねるもやむなし」として切り捨てることになるのである。


着任後の栗林がまず行ったのは、島の隅々まで見て回り、地形と自然条件を頭にたたき込むことだった。

どこにどんな陣地を作り、どう米軍に立ち向かうか。それを決めるには、島を知り尽くさなければならない。硫黄島は半日もあれば徒歩で一周できる。東京から伴ってきた副官の藤田《ふじた》正善《まさよし》中尉《ちゅうい》とともに、栗林はとにかく歩いた。

藤田中尉は栗林が東京の留守近衛《このえ》第二師団の師団長だったときからの副官で、志願して硫黄島についてきた。栗林家とは家族ぐるみのつきあいがあり、義井や子供たちとも親しかった。裕福な家の子息ですでに婚約者もいたが、敬愛する栗林と最後まで行動を共にしたいと、親の反対を押し切ったという。軍属である貞岡については「生命を大事にせよ」と同行を許さなかった栗林だが、軍人である藤田は連れてきた。実の息子のように藤田を可愛《かわい》がっていた栗林だが、自分と同様、軍人の道を選んだ人間である以上は、第一線で生命を賭《と》して戦うのが当然であるとの信念があったのだろう。

栗林がまず赴いたのは、島で一番の高地、摺鉢山である。

この山は、大きな火口がぽっかりと口を開けた休火山で、まさにスリバチそのものの形をしている。南側は海に向って転げ落ちる断崖《だんがい》絶壁。北東の斜面は、千鳥が原と呼ばれる平地につながっている。千鳥飛行場のあるこの平地は黒い火山灰で覆《おお》われ、不気味な砂漠のように見えた。

千鳥が原の両側には、それぞれ長い海岸線が走っている。摺鉢山から見て右手が南海岸、左手が西海岸である。米軍が上陸してくるとしたら、このどちらかの海岸しかない。島の北部や東部の海岸は断崖や岩礁《がんしょう》が多く、つねに波が高いからである。とすると、これらの海岸線を一望のもとに見渡せる摺鉢山は、上陸部隊にとっても守備隊にとっても重要なポイントとなるはずだった。

島の大部分を占めるのは、北東側の元山と呼ばれる台地である。

このあたりは岩層になっており、段丘や小さな起伏がある。凝灰岩からなる地質はやわらかく、鋤《すき》や鍬《くわ》などで掘ることができる。石材として使うこともでき、陣地の構築に役立ちそうだった。

問題は、摂氏六〇度になるところもある高い地熱と、地中から吹き出す硫黄ガスだった。作業は困難を極めるに違いない。しかし、少しでも長く島を守るには、米軍が上陸してくる前に強固な陣地を作っておくしかなかった。栗林は、圧倒的な戦力で上陸してくるであろう米軍を迎え撃つための戦術を練り始めた。

一方で、狭い島にひしめきあって暮らす将兵たちの心配もしなければならなかった。過酷な条件の下で陣地の構築と訓練に励む彼らの健康管理と規律の維持を、栗林は誰よりも気にかけた。

生活の場としての硫黄島はどんなところだったのだろう。

蝿《はえ》が多い事、実際に目や口の中に飛び込んできます。小蟻《こあり》はどこでも「蟻の善光寺参り」のようで、身体《からだ》中何十匹となく這《は》い上ります。油虫というグロテスクの不潔虫がそれこそ一面に群集しています。ただ毒虫や蛇のいないのが何よりです。

食べ物は野生のパパイヤ、バナナが少々ありますが、それも沢山の兵隊が取りつくし今は何にもありません。ホヤホヤの火山島ですから野菜などほとんどできないのです。

（昭和一九年八月二日付　妻・義井あて）

硫黄島の蝿が将兵たちを悩ませたことは、生還者の手記の中にもかならずと言っていいほど見られる。当時、東京ではほとんど見られなかった油虫（ゴキブリ）も多かったようだ。神経質なほどきれい好きだった栗林に虫の多さはかなりこたえたと見え、留守宅への手紙に何度となく出てくる。

硫黄島では、栗林を含む全将兵が、幕舎（テント）あるいは屋根と床があるだけの粗末な小屋暮らしだった。空襲が激しくなると、夜は防空壕《ぼうくうごう》の中で、毛布を敷いただけの地面に寝た。虫の来襲は防ぎようがなかったと思われる。

栗林がやってきた時点で、島には陸海合わせて六〇〇〇名あまりの将兵がいた。その後増強され、最終的には二万余に達する。最大の問題は、飲み水をどうするかだった。

最初に島を巡回した際、栗林はこの島に川が一本もないことに気づいた。湧《わ》き水も一切ないという。岩と砂でできたこの島では、雨水は一〜二時間で地面に完全に浸み込んでしまうのである。

飲み水を確保するには、貯水槽を設けて雨水を貯《た》めるしか方法はない。もともと硫黄島に住んでいた島民たちも雨水に頼っていたが、それが可能だったのは、人口が一〇〇〇名あまりしかなかったからだ。

米軍の情報分析官は上陸前に、硫黄島にひそんでいる日本兵の数は、最大一万三〇〇〇人と見積もった。飲用に適した水がないため、それ以上は無理と判断したのだ。しかし、その予測は外れた。日本軍は、絶望的に乏しい水で二万を超える人間の生命をつなぐという離れ業を、どうしても演じなければならなかった。

とにかくこの島には水が足りない。そのことがつねに頭を離れなかった栗林は、水の浪費を厳に戒めた。

優遇されがちな上級幹部に対しては特にきびしく、島内巡回の際、ある部隊長が水槽から汲《く》んだ水に手ぬぐいを浸して身体を拭《ぬぐ》ったのを見たときは烈火の如《ごと》く怒った。「銃殺に値する」とまで言ったというが、その後、水の大切さを諄々《じゅんじゅん》として説き、「この島では、水の一滴は血の一滴だ」と諭している。

もちろん本人も率先して節水につとめていた。

川もなく井戸もないから全部雨水を貯めて使うので、水は極度に節約します。マリーの飯椀《めしわん》に使った洗面器くらいにホンの少し水を入れて私が顔を洗い（目を洗うだけ）、その後で藤田が洗い、残りは丁寧に取っておいて便所の手洗水にするという有様です。もっとも普通の兵隊達はそれすらできません。

（昭和一九年八月二日付　妻・義井あて）

マリーとは、栗林がかつて可愛がっていたジャーマン・シェパードの名前である。総指揮官が毎日、調理・飲用を除けば犬の飯椀一杯ほどの水ですべてを済ませることは、部下たちを驚かせた。

また陣地を見回る際、栗林はいつも徒歩だった。騎兵出身で乗馬の名手である栗林に馬での巡回をすすめる部下もいた。硫黄島には馬が三頭いたのである。しかし彼は一度も乗ることはなかった。馬を歩かせれば水をたくさん飲むから、というのがその理由だった。

丸腰で地下足袋をはき、杖《つえ》をついて各部隊に現われる栗林の姿を記憶している将兵は多い。そんなとき彼はいつも、水筒を一本、肩から掛けていた。当時、一日の水の配給は、一人あたり水筒一本と定められていた。それを自分も守っていたのである。総指揮官の見回りとあって、貴重な水で茶を沸かして出す部隊もあったが、口をつけることはなかった。

水だけではなく生活の他の面についても、栗林は上下で差をつけることをかたく禁じた。六月二五日に全将兵に向けて発した「師団長注意事項」の中に、こんな項目がある。

将校ハ兵ノ食事ニ万幅ノ注意ヲ払フヲ要ス　将校ノ分ノミ別ニ炊事シ兵ノ給食カ如何《イカ》ナル状態ニ在リヤニ無関心ナルカ如キコト断シテアラサルヲ要ス

将校も兵卒と同じものを食べろと言っているのである。

階級にかかわらず、すべての将兵が不便を分かち合い、苦楽をともにすべきであるという方針に加え、幹部は部下たちの栄養状態を熟知しておくことが必要だという合理的な考えもあったと思われる。

栗林は自分自身も兵士たちと同じものを食べると決め、それを実行した。内地や父島から連絡将校などがやって来た場合は、缶詰を開けウイスキーを飲むこともあったようだが、普段は一般の兵と同じ食事を運ぶよう命じていた。

異例のことに当番兵たちは困惑した。師団長の食事ともなれば、本来、皿の数からして違う。それを兵士たちと同じにせよと言われても、どうしていいかわからない。栗林は「では、皿だけ並べておけよ」と笑って、空の皿を前に食事をしたという。

輸送手段を持っているため補給が比較的容易だった海軍にくらべて、陸軍は食料が質・量ともに乏しかった。水だけでなく生鮮野菜が絶対的に足りず、代りに用いられたのが乾燥野菜である。栗林ももちろんそれを食べていた。

留守宅への手紙で、「毎日乾燥野菜ばかりですがゴジゴジして閉口です」（昭和一九年一一月一七日付　妻・義井あて）と愚痴をこぼしているが、続けて「しかしあまり痩《や》せもしないところを見ると滋養はあるのかもしれません」と書いており、兵士たちの栄養状態を身をもって知るという意図は達せられていたようである。

野菜不足を何とかしようと、畑を作ることを各部隊に奨励した。こういう場合、命じるだけでなく自分でも実行するのが栗林という人である。


こちらでも何とかして新鮮な野菜と思って荒れ地を開墾したりして作っているが成績があまりよくない。ことに芽を出したと思うとコオロギや油虫にみな食べられてしまう。

（昭和一九年一〇月一〇日付　妻・義井あて）

と嘆いたかと思うと、その一か月後には、

あちこち苦労して開墾し種を播《ま》いた作物もほんの少しではあるがたまたま食べられるようになりました。

（昭和一九年一一月一七日付　妻・義井あて）


と嬉《うれ》しそうに報告したりもしている。

こうした率先垂範ぶりは、部下たちを感動させたようだ。米軍上陸直前に東京へ出張を命じられ、そのまま帰島できず結果的に生き残った第百九師団の高級副官・小元久米治少佐は、島での栗林の生活の様子を、戦後、次のように語ったという。

栗林兵団長は軍紀の厳しい将軍であり、時間の厳守、即時実行主義の人であった。しかし温情あふるる一面もあった。絶えず島内を巡視し、隈《くま》なく地形地物を記憶し、陣地の編成、構築を指導し、この間ポケットに恩賜《おんし》のタバコをしのばせ精励する歩兵に分けておられた。コップ一杯の水で歯を磨き顔を洗っておられた。司令部でも野菜作りを始め、これを炊事に供出した。甘藷《かんしょ》は一年中つるを延ばして育成し、その新芽の尖端《せんたん》一センチぐらいをつんで湯に通して醬油《しょうゆ》をかけてよく食べられた。

（『闘魂・硫黄島』堀江芳孝著より）

大本営陸軍部参謀だった朝枝繁春中佐は、一九四四（昭和一九）年七月、作戦連絡のため硫黄島を訪れた。その際、木更津《きさらず》の飛行場で採りたての胡瓜《きゅうり》、茄子《なす》、トマトを大籠《おおかご》いっぱいに詰め、井戸水を入れた四斗樽《だる》を積み込んだ。生野菜と水が不足していると聞いていたからである。島に着いて飛行場の勤務兵に手渡すと、拝むようにして受け取り「おおい、みんな湯呑《ゆの》みを持ってこい！　内地の真水が来たぞ」という騒ぎになったという。

総指揮官である栗林の分の野菜は別に用意してあったのであろう、直接それを届けたときのことを朝枝は戦後、次のように記している。

一籠の生野菜はこれを師団長にお届けした。将軍は目に涙、副官に命じ、小刀で雀《すずめ》の餌《えさ》ほどに小きざみにし、連隊長以下できるだけ多くの将兵に分け与えられ、自らは一片も口にせられなかった。それどころか将軍は僅《わず》かのパパイヤの実を集めては、漬け物を作り、囲り《ママ》のものに与えておられた。昭和の乃木《のぎ》将軍かと深い感銘を受けた。

（『小笠原兵団の最後』所収「硫黄島懐想の記」より）

留守宅からは、配給のウイスキーや副食物などを送りたい、あるいは島と東京を往復する連絡将校に託したいという手紙が何度も来た。しかし栗林はそのたびごとに、「自分は兵士たちより恵まれた立場なのですべて十分足りている」「大事な輸送物資を載せる飛行機なのだから、手紙以外は何も託さないように」という意味のことを書き送っている。

恩賜の菓子が配られたときは、自分は手をつけず留守宅へ送った。夫人への手紙に、小さく「家だけで食べること」と書いているのがほほえましい。公平・厳格な統率を旨《むね》とした栗林も、家庭人としてはごく普通の父であり夫だったのである。

硫黄島のおもな産業は硫黄や燐鉱《りんこう》の採掘で、硫黄の精錬所があった。土質と気候条件のため稲作はできず、農産物といえばサトウキビや薬用植物くらいだった。

それでも栗林が着任したとき島には一〇〇〇人ほどの住民がおり、その多くが元山台地の中央部の集落に暮らしていた。貧しいながらも平和な暮らしを営んできた、素朴な人々である。

六月の空襲の際には、この住民たちを軍の防空壕に収容して保護した。もとより自前の防空壕など持たない人たちである。女性や子供が慣れぬ事態に逃げまどい、着の身着のままで防空壕に飛び込んでくるのを見て、栗林は住民を早めに内地へ送還するべきだと判断した。足手まといになることはもちろん、軍人と民間人が狭い島で雑居するのはよくないと考えたのだ。

六月一七日に栗林が発した「師団長注意事項」の中に、次のような項目がある。

巳《ヤ》ムヲ得サルトキハ地方民ヲ軍隊ノ防空壕内ニ一時収容スルハ差支ナキモ空襲警報解除後又ハ夜間等ニ於《オイ》テハ之《コレ》ヲ収容スルハ不可ナリ

安全のために軍の防空壕に民間人を収容するのはよいが、空襲警報が解除になった後はすみやかに自宅へ帰すべし、また夜間に民間人を防空壕に入れてはいけないと言っているのである。空襲に備え、女性はなるべくもんぺをはくようにという指示も出している。おそらく風紀上の問題が起こってはいけないと考えたのだろう。

栗林は潔癖な人だった。硫黄島には慰安所が設けられなかったが、これは栗林が難色を示したためだという説がある。

島民の内地送還は七月三日から始まり、一四日までに完了した。一六歳から四〇歳までの扶養者のいない男子が陸軍の軍属として徴用され、また島にあった気象観測所の所員が海軍勤務となったが、そのほかの住民は全員島を離れた。その結果、硫黄島は、米軍が上陸してくる七か月も前から、一人の女性も子供もいない男だけの島となった。たとえ不便であろうが殺伐としていようが、軍だけで戦いに備えた方がよい——こうした判断をごく早い時期に下したことが、硫黄島が結果的に民間人の犠牲者を出さなかったことにつながったのである。

当時すでに戦争は軍も民もない総力戦の様相を呈し、国民はひとしく〝軍国の民〟として戦争完遂のためにすべてを捧《ささ》げることが求められていた。しかし栗林の中には、普通の人々が普通の生活を送れるようにするために自分たちは存在するのだという強い思いがあった。

硫黄島の住民で、硫黄島産業という会社の常務だった桜井真作の談話が、前出の『闘魂・硫黄島』に収められている。栗林は着任してから司令部ができるまでの数日間、桜井の自宅の一室を間借りして臨時司令室を置いていた。

「栗林閣下とは縁側でよく食事を一緒にしましたが、水の節約に率先されたのには敬服しました。ひげの生えた参謀長の方と藤田副官も一緒でした。

七月初旬サイパン玉砕の放送があったとき、私が「閣下、いよいよ硫黄島に敵を引きつけて叩《たた》くことになりますね」と申しましたら、いつも元気な閣下が「われわれの力がなくて皆さんに迷惑をかけてすまないが、もうこうなってはどうしようもありません」と答えられたときには本当にびっくりしました。

普通の将軍なら勇ましく敵を迎え撃つ気概を示しそうなもので、おそらく桜井もそれを期待していたのであろう。だが栗林はそうではなかった。

いかにちっぽけな島でも、島民にとってここは大切な生活の場である。戦闘が始まれば、住民の家も職場もめちゃめちゃに破壊される。それは国民を守るのが仕事である自分たち軍人に力がないせいだとして、島民に謝っているのである。

このころ栗林はどんな思いで戦いに臨もうとしていたのだろうか。栗林が着任した頃、しばらく起居をともにしたという武蔵野菊蔵工兵隊長の証言を『闘魂・硫黄島』から引いてみよう。

公務以外のときは同僚と同じように語ったり笑ったり、実に平和な学者肌の将軍であった。あるとき「ぼくは米国に五年ほどいたが平和産業が発達していて、戦争ともなれば一本の電報で数時間を要せず軍需産業に切り換えられる仕組みになっているのだ。こんな大切なことを日本の戦争計画者たちは一つも頭においていない。僕がいくらいっても一向お分かりにならない。この戦争はどんな慾目《よくめ》で見ても勝目は絶対にない。しかし、われわれは力のあるかぎり戦わなくてはならない。血の一滴まで戦わなくてはならない」といわれた。

本章でたびたび引用した『闘魂・硫黄島』（昭和四〇年発行）は、私が長野市松代《まつしろ》町にある栗林忠道の生家を訪ねた折り、現当主の栗林直高《なおたか》より借り受けたもので、直高の父・直《すなお》（栗林忠道の長兄・芳馬の長男、平成一〇年死去）の蔵書である。

ここに紹介した、武蔵野工兵隊長が聞いたという栗林の発言部分（「ぼくは米国に五年ほどいたが……」）には直の手で赤で傍線が引かれ、余白に「叔父忠道の口癖であった」とのメモが記されている。

栗林は米国通の軍人だった。まず一九二八（昭和三）年から一九三〇（昭和五）年まで軍事研究のため留学。三〇代後半の、まだ陸軍大尉《たいい》だった頃である。その後、一九三一（昭和六）年から一九三三（昭和八）年まで駐在武官としてカナダに滞在している。

アメリカ留学中は、ワシントン、ボストンなどの大都市や、米陸軍の騎兵聯隊《れんたい》があったテキサス州フォートブリス、同じく歩兵師団のあったカンザス州フォートライリーなどに暮らした。ニューヨークやサンフランシスコ、ロサンゼルスなども訪れ、みずから車を運転して大陸横断までやってのけている。アメリカの軍事力、経済力を自分の目で見て把握していたのである。

しかし栗林の経験と見識を軍中枢部《ちゆうすうぶ》が活用した形跡は見られない。逆に、アメリカびいきとされて疎《うと》まれたのではないかとする説がある。栗林が硫黄島行きを命じられたのは、その指揮能力を評価されてのことだったというのが定説だが、一方で、彼のアメリカ的な合理主義が嫌われ、生きて還《かえ》れぬ戦場に送られたとする見方もあるのだ。

硫黄島で戦死した著名な軍人に、一九三二（昭和七）年のロサンゼルスオリンピックの馬術競技で金メダルを獲得した西竹一男爵《だんしやく》がいる。オリンピック当時は陸軍騎兵中尉で、硫黄島に配属されたときには中佐であった。オリンピックの活躍で〝バロン（＝男爵）西〟としてアメリカ社交界の花形となった西は、米国に友人が多かった。彼についても、親米派と目されて玉砕が確実な戦場に送られたという噂《うわさ》が当時からあった。

〝アメリカびいき〟〝親米派〟だったかどうかは別として、栗林が、この戦争が無謀なものであることを知りつつ、死力を尽くして島を守り抜こうと決意していたのは確かであろう。

「我等玉砕ヲ以《もっ》テ太平洋ノ防波堤タラントス」という訣別《けつべつ》電報を最後にサイパンが陥落したのは、栗林が硫黄島に着任してちょうど一か月後の一九四四（昭和一九）年七月七日のことである。この日は栗林の五三歳の誕生日だった。このころ栗林はすでに、米軍の来攻にどう備え、いざ上陸してきたときにどう戦うかについて考えを固めていた。

熟慮の末に採用したのは、日本陸軍の伝統にまったく反する方法であった。当初は誰もが無謀だと謗《そし》り非常識だと反発した栗林の決断によって、硫黄島はその名を日米の歴史に深く刻み込むことになったのである。

第三章　作戦

硫黄島《いおうとう》玉砕から七年後の一九五二（昭和二七）年。高野建設の硫黄島作業所に勤務していた安藤富治は、島内の洞窟《どうくつ》の奥深くで、散乱した遺骨や遺品の陰に一冊の軍隊手帳を見つけた。

ぼろぼろになったページの最後に、それは書きつけてあった。

一　我等は全力を振って守り抜かん。
二　我等は爆薬を抱いて敵の戦車にぶつかり之《これ》を粉砕せん。
三　我等は挺身《ていしん》敵中に斬込《きりこ》み敵を鏖《みなごろ》しせん。
四　我等は一発必中の射撃に依《よ》って敵を撃ち仆《たお》さん。
五　我等は敵十人を斃《たお》さざれば死すとも死せず。
六　我等は最後の一人となるも「ゲリラ」に依って敵を悩まさん。

烈々たる言葉が並ぶこの六項目は、栗林が作成し全軍に配布した「敢闘の誓《ちかい》」である。戦いにのぞむ心得を述べた、いわばスローガンといえる。

島内で発見されたほかの兵士の手帳にも、同じ文章が記されたものがあったという。戦後に発見された陣中日誌によれば、朝礼のときなどにこの誓いを全員で唱和していたようだ。

この軍隊手帳の文章と、公刊戦史に載っている正式な「敢闘の誓」では、文字づかいや表現が微妙に異なる部分があるが、これは各部隊に配布されたガリ版刷りの文書を、兵士が自分の手帳に書き写したからだろう。

まだ米国の占領下にあった硫黄島で遺骨・遺品の収集に尽力した安藤は、兵士たちが「この誓いを信条として、身の朽ち果てる後までも離さなかった」のであろうと、のちに手記の中で述べている。

また、米海兵師団の報道班員として硫黄島攻略戦に参加したビル・D・ロスは、著書『硫黄島 勝者なき死闘』の中で、栗林のこのスローガンがいかに日本兵たちに浸透していたかに触れ、

海兵隊は「敢闘の誓」の紙片を、硫黄島のどこででも——まず海岸沿いの塹壕《ざんごう》

で見つけたのを皮切りに、洞穴でも、トンネルでも、トーチカでも、死んだ敵兵の遺体の上にでも——発見できた。

と書いている。

米軍上陸までの八か月間、兵士たちが繰り返し読み、心に刻んだ文章。その中で栗林は、爆弾を抱いて敵の戦車にぶつかれと言い、敵陣に斬込んで皆殺しにせよと言い、射撃の腕を磨いて敵を打ち倒せと言い、一〇人殺さなければ死んではならぬと言っている。そして、たとえ味方が全滅しても一人で戦い抜けと言っているのである。

しかもこれは命令や指示ではなく「誓い」である。

栗林はここで、〝兵は〜すべし〟ではなく〝我等は〜せん〟という表現を使っている。自分たちは強いられてではなく、みずからの意志で戦い死んでいくのだ——そんな覚悟と誇りを植えつけることで、陣地構築作業に疲れ切った兵士たちの士気を保とうとしたのである。

結果を言えば、二万余の将兵はまさにこの「敢闘の誓」通りに戦った。見事とも、無惨《むざん》きわまりないともいえる戦い方である。それは米兵たちを震撼《しんかん》させた。

組織的な戦闘が終わり、命令する上官がいなくなっても、生き残った兵はゲリラとなって洞窟に潜んだ。最後の兵二名が投降したのは、一九四九（昭和二四）年一月六日。終戦から三年半、玉砕からは四年近くが経《た》っていた。

内地からの貴重な生野菜を自分では一切れも口にせず、すべて将兵に分け与えた〝温情あふるる〟指揮官・栗林。その彼が作ったスローガンは、現代の私たちからはあまりにも凄絶《せいぜつ》なものに映る。しかしここには、栗林がみずからの役割をどうとらえ、どんな戦いをしようとしていたのかが如実《にょじつ》にあらわれている。

彼は、硫黄島が、勇敢に戦って潔《いさぎよ》く散るなどという贅沢《ぜいたく》の許されない戦場だということを肝に銘じていた。

「敢闘の誓」を一読してまずわかるのは、「勝つ」ことを目的としていないことである。なるべく長い間「敗《ま》けない」こと。そのために、全員が自分の生命を、最後の一滴まで使い切ること。それが硫黄島の戦いのすべてだった。

栗林が選んだ方法は、ゲリラ戦であった。地下に潜んで敵を待ち、奇襲攻撃を仕掛ける。どんなことをしてでも生き延びて、一人でも多くの敵を倒す。それを実行するためには強靱《きょうじん》な精神力が要る。「敢闘の誓」は、その精神力をやしない覚悟をうながすためのものでもあった。

事実、硫黄島の戦いは酸鼻をきわめた。生還した兵士の手記に「武士道とは死ぬこと、といった言葉が通用する戦場であってほしかった」という一節があるが、もし、潔く死ぬことが武士の美学だとすれば、栗林はそうした美学を部下にも自分にも許さなかったのである。

死を前提として一斉に敵陣に突入する、いわゆる「バンザイ突撃」を栗林は厳しく禁じた。それを将兵たちは忠実に守った。

ビル・D・ロスは前掲書の中で、硫黄島の日本兵の戦いぶりを、

　他の島の例に見られたような、バンザイを絶叫する突撃ではなく、目的を持った使命だった。栗林中将率いる部隊は、アメリカ兵を「最後ノ一人トナルモ」悩まそうという「敢闘の誓」を守っていたのだ。


としている。

あまりにも過酷な戦場では、怪我《けが》や飢え、渇きの中で生き延びて戦うよりも、ひと思いに突撃して果てたいという思いにかられる。しかも硫黄島は、勝利することも生

き延びることもあり得ないとわかっている戦場である。いっそ華々しく散りたいという最期《さいご》の望みを許すのが、指揮官の〝武士の情〟であるという考え方もあるだろう。しかし栗林は、この島では一兵たりとも無駄に死なせてはならぬと固く思いさだめていた。

それはヒューマニズムではなく、冷徹な計算であった。

死ぬと決まっている自分の命。死なせるとわかっている兵士たちの命。それをいかに有効に使い切るかという計算を、栗林はやってのけたのである。すべては、内地で暮らす普通の人々の命をひとつでも多く救うためだった。

家族への手紙の中で栗林は、硫黄島が米軍の手に落ちれば東京が本格的に空襲されるようになると繰り返し述べている。このときはまだ本土への空襲は軍事施設や工場などに限られていたが、B-29が配備されつつあるサイパンに続いて硫黄島も陥落すれば、日本の都市が大規模な空襲に見舞われることを警告しているのである。

東京は今空襲を受けないが、父が今守っている島がもし敵に取られたなら必ず昼となく夜となく空襲を受けるようになる。（ちょうどサイパンが敵に取られてから、父のいるところが毎日空襲を受けるようになったと同様である。）

そして敵の反攻はこのごろますます烈《はげ》しくなってきたから、今父のいるところへ攻め寄せてくるのも、もはや時間の問題であって、その場合もし守り通せなくなれば続いて東京空襲という順序に進むだろう。

空襲の凄絶、惨害、混乱は言語に絶するものがあって、東京で安穏に暮している人の到底想像も許さないところである。

（昭和一九年九月二七日付　長男・太郎　長女・洋子あて）

本土空襲の「B二九」は、サイパン基地に今、百四、五十機であるが、四月頃には二百四、五十機となり、年末頃には五百機くらいになるらしいから、それだけ今より空襲が多くなる訳です。もしまた私の居る島が攻め取られたりしたら、その上何百という敵機がさらに増加することとなり、本土は今の何層倍かの激しい空襲を受けることになり、悪くすると敵は千葉県や神奈川県の海岸から上陸して東京近辺へ侵入して来るかも知れない。

（昭和二〇年一月二一日付　妻・義井あて）

栗林がどんな犠牲を払ってでも持久戦に持ち込もうとしたのは、B-29によって一般市民が殺される事態となるのを一日でも遅らせたいという思いからだった。

さらに、自分たちが米軍を釘付《くぎづ》けにして時間を稼いでいる間に、軍中枢部《ちゅうすうぶ》が終戦交渉を進めることを期待していたと思われる。

やはり玉砕の島であったアンガウル島から生還し、戦後、太平洋の島々での玉砕戦に関する多くのノンフィクションを著した舩坂弘《ふなさかひろし》は、一九六八（昭和四三）年刊行の『硫黄島 ああ！栗林兵団』の中で、次のような逸話を紹介している。

だが、栗林中将は防備の強化をはかりながら、べつなことを考えていた。昭和三年からアメリカへ、昭和六年からカナダへと軍事研究にいき、そのおそるべき工業力を知っている栗林は、真田、中沢両少将が島をさるとき、一つの意見具申書を大本営に届けるよう依頼した。それは、

「米軍の戦力、アメリカの国力を至急に判断し、サイパン玉砕後は早急に和戦の方法を講ぜられるように」

というものであった。しかし当時の幕僚としては、ただ驚いて顔をみあわせるだけであった。意見具申書にたいしても、部隊の士気に影響をあたえることをおそれ、胸中深く秘め帰国しても口にするものはひとりもいなかった。

文中に「真田、中沢両少将」とあるのは、一九四四（昭和一九）年八月に大本営から視察にやってきた陸軍作戦部長・眞田穣一郎少将と、海軍作戦部長・中澤佑少将のことである。

この話はもちろん公刊戦史には載っていない。しかし、この件について多くの人に取材する中で、眞田少将との別れ際《ぎわ》、「これが私の真意です」と言って、栗林がひそかに書状を手渡した場面を見た兵士がいるという話を聞いた。この兵士は硫黄島からの生還者で、すでに故人であるが、兵団司令部の副官部、つまり栗林に近いところで働いていたという。

握りつぶされた意見具申書は本当にあったのか。いまとなっては確認しようもないが、栗林の頭の中に「硫黄島で米軍に最大の出血を強要すれば、終戦交渉に有利に働く」という計算があったことは間違いないだろう。

聯合《れんごう》艦隊がマリアナ沖海戦であっけなく敗れ、七月七日にサイパンが陥落した時点で、日本に勝ち目はなくなっていた。大本営から二人の作戦部長がやってきた八月には、栗林はいずれ日本が負けることを確信していた。軍中枢部の中でも、どう終戦に持ち込むかを考える者が出はじめていた頃である。

八月二五日に栗林が妻に宛《あ》てた手紙には、はっきりと「敗戦」を前提とした一節がある。

これからさらに恐ろしい敗戦の運命の中、どういうことになるかもわからないことを思い、女ながらも強く強く生き抜くことが肝心です。

(昭和一九年八月二五日付 妻・義井あて)

また、一〇月にはこうも書いている。

今はもう自分自身のことについては欲も得もなく如何《いか》になろうとよいという覚悟はできたが、敗戦になって米軍が関東平野に上陸でもするという場合、日本の混乱は想像に余りあるし、そうした場合、お前たち母子は一体どうなる? と考えるとさすがに心痛に堪えないものがある。どうかそうした最悪の場合もじっと頑張り通して強く元気に生きぬいて下さい。

(昭和一九年一〇月一九日付 妻・義井あて)

普通ならこんな手紙が検閲を通るはずはなく、最高指揮官だからこそ家族に届いた内容である。ちなみに硫黄島からの栗林の手紙に押された検閲印は「藤田」となっているが、これは栗林の副官だった藤田正善中尉《ちゅうい》だと思われる。

ともあれ、この戦争に日本が敗れる日も近いことを栗林は知っていた。〝恐ろしい敗戦の運命〟をたどる国民のために、硫黄島でどう戦うべきかを考え、作戦を立てていたのである。

「栗林は、アメリカの世論を視野に入れて出血持久戦を選んだ。戦闘を長引かせ米軍に多くの死傷者を出させることで、米国民を厭戦《えんせん》気分にさせようとしたのだと思う」

そう話すのは、二〇〇〇年にアメリカで刊行されベストセラーとなったノンフィクション『硫黄島の星条旗』の著者ジェイムズ・ブラッドリーである。彼の父ジョン・ブラッドリーは、二一歳のときに衛生兵として硫黄島で戦って生還している。

世界でもっとも有名な戦場写真といわれる一枚の写真がある。砲弾の破片に覆《おお》われた山の頂に星条旗を立てようとしている六人の兵士。その中央にいるのが彼の父である。

のちにピュリッツアー賞を受けたこの写真が撮られた場所は、硫黄島の摺鉢《すりばち》山であった。

敵国の領土に国旗を立てる行為は、勝利と占領の宣言である。硫黄島のすさまじい戦闘の様子をニュースで逐一知っていた米国民はこの写真を見て、多大な損害と犠牲の末にもたらされた勝利に熱狂した。一種のイコンとなったこの写真は切手になり、戦後には巨大なブロンズ像としてワシントンのアーリントン国立共同墓地の横に建立《こんりゅう》された。

全米のヒーローであった父の死後、その軌跡を追って、ブラッドリーは硫黄島の戦いについて調べ尽くした。彼の著書を読んで、現在の日本では知る人の少ない硫黄島の戦いが、米国では“Battle of IWO JIMA”として語り継がれていること、また米軍人の間でいまも“General KURIBAYASHI”の評価が非常に高いことを知った私は、二〇〇四（平成一六）年秋、ニューヨーク州ライにブラッドリーを訪ねた。

栗林を「アメリカをもっとも苦しめ、それゆえにアメリカからもっとも尊敬された男」と評するブラッドリーはこのとき、栗林が米国内の世論の動向まで考慮して作戦計画を練ったという持論を展開した。

「アメリカ人は何よりも人的な被害を重く見る。だから、死傷者の数が多ければ、たとえ戦況が有利でも、その作戦は失敗ではないかという世論がわきあがる。アメリカで暮らし、その国民性についてよく知っていた栗林は、そこまで計算して敵の死傷者をじわじわ増やしていく戦い方を選んだ。アメリカの世論が、日本との戦争を早く終わらせようという方向に向うことを期待したのだろう」

確かに当時の米国では、硫黄島の戦況を国民が固唾《かたず》を呑《の》んで見守っていた。その報道の量とスピードは、当時の日本からは想像もつかないものだった。

上陸作戦が始まった二月から翌三月にかけて、ニューヨーク・タイムズ紙は硫黄島に関する記事を六〇回以上掲載している。特派員が戦場から送った記事は、二四時間後にはもう新聞社の輪転機にかけられた。写真が米本土に電送されるのには二日かかったが、硫黄島の戦場写真はその質においても量においても、第二次世界大戦の他のどんな戦場をも凌駕《りようが》していた。

放送局のスタッフも戦場にやってきていた。硫黄島沖の戦艦の上や米軍が上陸した砂浜から、ラジオのレポーターが生中継を行ったのである。

米国民は、こうしたニュースの洪水の中、硫黄島上陸から四日間の戦闘が、ガダルカナルでの五か月間にわたるジャングル戦を上回る死傷者を出したと知って茫然《ぼうぜん》とする。あまりにも大きな犠牲に世論が沸騰《ふつとう》し、新聞には「アメリカの若者をこれ以上殺させるな」「最高指揮官を更迭《こうてつ》せよ」という投書が載った。

こうした事態を事前に見越していたからこそ、栗林は華々しく戦って散るよりも、持久戦に持ち込んで米軍の人的被害を少しでも多くすることを選んだというのがブラッドリーの説である。

しかし、もし彼の言う通りだったとしても、その後に起こった事態は栗林の望みからは大きくかけ離れたものだった。これ以上自国の若者たちを死なせるわけにはいかないと考えた米国政府が戦争の早期終結のために選んだのは、原爆の使用によって、日本の一般市民を大量に殺傷することだったのである。栗林も、なつかしい故郷の人たちのために凄惨《せいさん》な戦場を戦い抜いた二万の兵士たちも、予想だにしなかった結末であろう。

一九四五（昭和二〇）年八月六日午前五時五五分。すでに米軍の手に落ちて久しい硫黄島の上空を、北マリアナ諸島のテニアン島から日本本土に向かう一機のB-29爆撃機が通った。

「パイロットは、ただ通り過ぎるのではなく、島の上空を何度か旋回したそうだ。そこで命を落とした七〇〇〇人近いアメリカ兵に敬意を表してね」

そうブラッドリーは教えてくれた。

爆撃機の名はエノラ・ゲイ。目的地は広島であった。

米軍上陸前の硫黄島に話を戻そう。一日でも長く島を維持するために栗林が立案した作戦の内容は、以下の二点に集約される。

一　水際作戦を捨て、主陣地を海岸から離れた後方に下げたこと。

二　その陣地を地下に作り、全将兵を地下に潜って戦わせたこと。

しかしこれは、日本軍の伝統的な作戦を否定するものだった。そのため、実行するには断固たる決意と実行力を必要とした。

栗林が「効果なし」として採用しなかった〝水際作戦〟とは、上陸してくる敵を水際で撃破するというものである。これは帝国陸軍七〇年の、まさに伝統的戦法だった。船艇に乗って近づいてきた敵は、水上から陸上へと移る地点において、一時的に攻撃力が弱まる。このチャンスを狙《ねら》って集中的に攻撃するのが水際作戦である。この作戦には、それまで重用されてきただけあって、たしかに利点がある。

一つ目は、近づいてくる船艇を海岸から射撃しやすいこと。上陸部隊は一斉にやってくるから、船艇は密集している。しかも上陸用の船艇は十分な火力を装備していない。その分、迎え撃つ側が有利になる。

二つ目は、上陸してきた部隊を逐次狙い撃ちできること。一度に上陸できる兵士の数は限られているので、防御側はそれを順番に撃破していけばよい。一度に大勢の敵を相手にしなくてすむのである。

三つ目は、上陸した部隊が十分な戦闘能力を発揮できる態勢にないうちに攻撃を加えられること。上陸直後は迎え撃つ側が優位に立てる貴重な時間であり、水際で敵を叩《たた》けば大きな効果が期待できる。

特に、敵の戦闘能力がこちらを上回っている場合、やすやすと上陸を許せば勝ち目はほとんどなくなってしまう。水際を決戦場と決め、そこに主陣地を作る。部隊の主力も海岸近くに置く。それが、上陸部隊を迎え撃つときの常道だった。

しかしこの水際作戦は、タラワ、マキン、そしてサイパンといった太平洋の島嶼《とうしょ》作戦においてはことごとく失敗していた。

なぜなら高いレベルの航空戦力を有する米軍は、上陸前に徹底的な爆撃を行い、陣地を破壊してしまうのである。水際の陣地は遮蔽物《しゃへいぶつ》がないため発見されやすいという欠点があった。

もうひとつ、米軍は上陸作戦の間じゅう、艦砲射撃や空爆によって徹底的な支援を行う。そのため、米軍の総体的な攻撃力は、水際においてもそれほど弱まることはない。これに対し、硫黄島の日本軍は、海と空からの支援をほとんど期待できなかった。制空権と制海権が米軍の手にあるかぎり、日本陸軍伝統の水際作戦は意味をなさない。このことを見抜き、ごく早い時期に水際作戦を捨て去る決断をしたのが栗林だった。

水際の陣地に人員と資材を注ぎ込み、武器も集中させたとすれば、そこで敵に甚大《じんだい》な被害を与えられなかった場合、日本軍はすぐに総崩れになってしまう。

しかし水際で華々しく戦い、負けてそれで終わりというわけには絶対にいかない。自分たちの任務は、この島に米軍を一日でも長く引き留め、最大の損害を与えることなのだから――。

そう考えた栗林は、軍の上陸をいったん許し、地下に作った陣地にモグラのように潜んで徹底抗戦に持ち込むことを決めたのである。

栗林が着任してきた六月八日の時点で、島ではすでに従来の水際作戦の方針にもとづいて、海岸近くでの陣地構築作業が進んでいた。しかし栗林は島の隅々まで自分の足で見て回り、地形や地質をつぶさに観察・検討した上で、早くも六月二〇日には水際作戦を捨て後退配備に転換する決断をしている。まだサイパンが陥落していない時期である。

後退配備とは、敵上陸直後に総反撃を行うことにこだわらず、主たる陣地を海岸から後退した地点に配置する方法である。水際から後方へと主陣地を移せば、それまで汗水垂らして海岸近くに陣地を作っていた兵士たちの努力が水泡に帰することになる。指揮していた上官たちの反発も当然予測された。しかし栗林の決意は固かった。

栗林の率いる第百九師団がやってくるまで硫黄島の基幹部隊だった「伊支隊」の隊長・厚地兼彦大佐は、栗林の新しい戦闘方針を受け、六月二三日、あらたな後方陣地の構築を下令した。

〈伊支隊命令〉

一　支隊ハ水際陣地構築作業ヲ一時中止シ新ニ後方ニ陣地ヲ構築セントス

二　各歩兵大隊ハ別ニ示ス地域ニ陣地ヲ構築スヘシ

三　砲兵隊ハ第一飛行場附近ヲ射撃シ得ル如《ゴト》ク大阪山附近、南部落及摺鉢山北側附近ニ陣地ヲ構築スヘシ
四　第十五要塞《ヨウサイ》工兵隊ハ歩兵隊並ニ砲兵隊ノ陣地構築ニ協力スヘシ
五　独立工兵第九聯隊第一中隊ハ師団並ニ旅団戦闘指揮所ノ構築ニ任スヘシ
六　前諸項ノ陣地中骨幹トナルヘキモノハ六月末日迄《マデ》ニ之《コレ》ヲ完成スヘシ
七　予ハ元山支隊本部ニ在リ

伊支隊長　厚地大佐

水際《みずぎわ》陣地の構築をとりあえず中止し、後方陣地をその骨幹だけでも大急ぎで構築せよという内容である。

この命令を受け、さっそく後方陣地づくりが始まった。この時点で、栗林の着任からわずか二週間という迅速さである。

戦後発見された陣中日誌などをもとにした公刊戦史の記述によれば、栗林の新しい硫黄島防備計画の構想は、

摺鉢山、元山地区に強固な複郭《ふっかく》拠点を編成し持久を図ると共に強力な予備隊を保

有し、敵来攻の場合、一旦《いったん》上陸を許し、敵が第一飛行場に進出後出撃してこれを
海正面に圧迫撃滅する

というものだった。「複郭拠点」とは、敵に防衛線を突破された後、最後まで抵抗を続ける目的で築かれる堅固な陣地のことである。

ここに示された栗林の構想の内容をわかりやすくいえば、

▼目的はあくまで持久戦であり、そのため主陣地は敵が上陸してくる海岸の付近ではなく、後方の摺鉢山と元山地区に置く。敵の上陸に備えては、予備隊を確保しておく。

▼敵が攻めてきたら、水際では攻撃せずにそのまま上陸させる。敵が第一飛行場に向かって進んできた時点で、はじめて攻撃を開始して海正面へと押し戻す。

ということになる。

摺鉢山は島の南西の端にある休火山、元山地区は島の東北部にある台地である。栗林は主陣地を、海岸線から離れたこの二か所に置くと決めた。この両者にちょうどはさまれた格好になっているのが、千鳥（第一）飛行場のある千鳥が原である。

千鳥飛行場は、米軍が上陸してくるであろう海岸からわずか八〇〇メートルと近い。

敵は上陸するとまずこの飛行場を奪取しようとするはずであり、栗林はこの付近で最初の攻撃を行うことにした。

海岸に主陣地を置き、上陸阻止に全力を挙げたなら、それが失敗すれば、早期に島は陥落してしまう。しかし、千鳥飛行場付近まで敵を引きつけ、後方つまり摺鉢山と元山地区に築いた両陣地からはさみ撃ちにするように出撃すれば、敵に損害を与えた後、また陣地に引き上げることができる。

目的はあくまでも持久戦なのだから、水際では決戦を行わず一撃を与えたら引き上げる。そして複線化した陣地で長期にわたって徹底抗戦をする。それが合理主義者である栗林の考えだった。

しかし栗林のこの構想は、海軍側から激しい抵抗を受ける。

「みすみす上陸を許し、大事な飛行場を敵の手に渡すなど、もってのほかである」

「上陸してくる敵は水際で撃滅するのが、島嶼作戦の常識である」

というのがその意見であった。

八月中旬、大本営陸海軍部作戦部長の眞田、中澤両少将とともに硫黄島を訪れた第

三航空艦隊参謀・浦部聖中佐は、
「硫黄島の陸上航空基地は不沈空母として絶対に確保しなければならない。そのためには、敵が水際に達する前に撃滅するべきである」
と強く主張した。そして、千鳥飛行場の両側の水際に強固なトーチカ（コンクリート製の小型防御陣地）を何重にも作るよう進言した。

硫黄島ではこのときすでに、栗林の方針にもとづいて後方陣地の構築が進められていた。しかし浦部参謀は、兵器資材はすべて海軍で提供するので、陸軍の兵力を提供するようにと迫った。

「これは中央の意向である」とする海軍側の主張は強硬だったが、栗林は主たる陣地を水際ではなく後方に作るという方針を変えることはなかった。不沈空母として確保すると言っても、硫黄島の航空機の実働機数は、八月一〇日の段階で、零式戦闘機一一機、艦上攻撃機二機、夜間戦闘機二機しかなかったのである。

しかし最終的に栗林は、水際のトーチカづくりに協力することを約束する。海軍が提供するという資材を陸軍の地下陣地づくりに役立てようと考えたからである。

硫黄島では当初の予定通りの資材が供給されず、セメントもダイナマイトも圧倒的に不足していた。栗林は、海軍提供の兵器資材の半分を水際のトーチカづくりに使用し、残りは陸軍で使うという条件を出したとされる。

このときの栗林の考えについて、陸軍側(第百九師団)の参謀であった堀江芳孝少佐と白方藤榮少佐は、戦後にこう回想している。

「兵団長の真意は後退配備に変わりはなく、水際に堅固なトーチカを作る資材を海軍が提供してくれるならば、一部兵力を配してこれを有効に利用しようという顧慮があったようである。水際は偽《にせ》陣地的に考え、敵の艦砲火力をこれに吸収しようという考えもあった」(公刊戦史より)

栗林の了解を取り付けた浦部参謀は八月一八日、さっそく大本営海軍部、聯合艦隊司令長官あてに電報を打った。

……敵上陸部隊就中《ナカンズク》戦車及重砲搭載船艇ヲ水際迄ニ必ズ撃滅スルハ屢次《ルジ》ノ戦訓ニ鑑《カンガ》ミ本島防衛上最良ノ手段ナリト確信ス

之ニ対シテハ現地陸海軍ハ完全ニ意見ノ一致ヲ見タルニ付　之ガ実現ニ必要ナル左ノ兵器及資材ノ入手急送ニ関シ中央各部ノ説得方予メ手配ヲ得度《タシ》

「屢次(=度重なる)ノ戦訓ニ鑑ミ」とあるが、水際作戦を採用したタラワ、マキン、サイパンなどの防備は、このときすでに、ことごとく失敗していた。これらの島の戦訓によるならば「戦車及重砲搭載船艇ヲ水際迄ニ必ズ撃滅スル」ことが不可能なのは明白なはずだった。

浦部参謀がこの電報の中で要求している「左ノ兵器及資材」とは以下である。

一　兵器

(イ)二十五粍《ミリ》機銃七〇丁（一丁　徹甲弾二、〇〇〇発、普通弾五〇〇〇発）

(ロ)二五〇キロ爆弾噴筒五〇

二　資材

セメント一二、〇〇〇トン、丸鋼三、七五〇トン、一八二、六五〇立方米《メートル》、鉄線二〇番（焼純鉄筋）一五キロ、釘《くぎ》六〇トン、練鉄板二〇〇枚、砕石機小型二〇台

栗林は約束通り、水際拠点の構築に協力した。しかし、海軍中央部から送られてきた兵器資材は、わずかセメント三〇〇〇トンと、二五ミリ機銃七五丁のみだった。陸軍の協力のもと、千鳥飛行場周辺の海岸に構築されたトーチカは二六個とされる。

しかしこれらは結局、米軍上陸前後の空爆と艦砲射撃によって、あっという間に破壊されることになる。

第四章　覚悟

それまで水際《みずぎわ》配備に固執していた大本営陸軍部がようやく考えを改め、後退配備の新方針を打ち出したのは、一九四四（昭和一九）年八月一九日のことだった。

大本営は、「絶対国防圏」の要衝だったサイパンの防備に自信をもっていた。しかし実際には、米軍が上陸作戦を開始するや、守備部隊はあっという間に崩壊してしまった。七月七日にサイパンが玉砕したのに続き、八月三日にはテニアン、一一日にはグアムも玉砕している。

これを重く見た大本営は、「敵を水際において撃滅し、若《も》しくは島嶼《とうしょ》に敵の地歩を確立させるに先立ち果敢なる攻撃を行いその撃滅を期する」という従来の水際思想を改め、後退配備に転換させることにした。

硫黄島《いおうとう》だけでなく、パラオ地区（ペリリュー島、アンガウル島）などにも伝達された新方針「島嶼守備要項」は、冒頭に以下の二項を掲げている。

一　島嶼守備隊長ハ長期持久ニ徹シ努メテ敵ニ多大ナル損害ヲ与フルヲ要ス
二　主陣地ノ前縁ハ小堡塁《ショウホウルイ》ニシテ全島ヲ陣地タラシムル外《ホカ》　海岸カラ適宜後退シテ選定スルヲ可トス

まず「一」で、島嶼の守備は持久戦に徹することを明確に述べている。続く「二」の部分に、この新方針の最大の眼目がある。主陣地を「海岸カラ適宜後退シテ選定スル」としているのである。

これは、それまで固執してきた水際作戦の実質的な放棄であるといえる。ここへきて、さすがに大本営も、これまでのやり方ではどうしようもないことを認めざるを得なかった。

しかしこの新方針への転換は、遅きに失した。

硫黄島と同様、米軍の上陸作戦が予想されていたパラオ諸島では、従来の水際作戦の考え方にもとづいて海岸近くの陣地構築がほとんど完了しかけていた。しかも米軍の侵攻は近いと見られており、いまさら陣地配備を変更するには、時間的にも資材的にも余裕がなかった。

これに対して硫黄島では、大本営から新方針が示される二か月も前から、栗林の決断によって後退配備による陣地の構築が進められていた。栗林が着任直後の六月に打ち出した硫黄島防備の方針の中心は、まさにこの「島嶼守備要項」と同じ〝持久戦〟と〝水際放棄・後退配備〟であった。

栗林の判断は、目の前の現実を直視し、合理的に考えさえすれば当然行き着く結論だった。しかし、先例をくつがえすには信念と自信、そして実行力が要る。

事実、栗林が水際作戦を放棄すると決めた際、反対したのは海軍だけではなかった。硫黄島の陸軍幹部からも強い反対意見が出たのである。しかし栗林は孤立を怖《おそ》れず、これをはねつけている。

大本営がついに方針を転換したのは、内部から「従来の考え方ではもう駄目なのではないか」という意見が噴出し、無視できなくなってきたからだった。つまり、水際作戦はもはや用をなさないという結論に達した者がいなかったわけではなかったのである。

しかし結論に行き着くや具体的な計画を立て、万難を排してただちに実行に移すという迅速さは栗林ならではであろう。しかもその時点において、栗林の決断は大本営の方針に背くものだったのだ。

「観察するに細心で、実行するに大胆」というのが栗林の本領である。彼はものごとを実に細かく〝見る〟人であった。定石や先例を鵜呑《うの》みにせず、現場に立って自分の目で確かめるという態度をつらぬいた。

家族への手紙にもみられるような栗林の〝細かさ〟は、ときに部下に煙たがられることもあったようだ。堀江芳孝参謀は、著書『闘魂・硫黄島』の中でこんなエピソードを記している。陣地作りが始まった頃の話である。

このとき武蔵野中尉《ちゅうい》が工兵の立場から、砂地で陣地作りがむずかしい意味のことを報告していたように記憶している。(栗林中将は)二時間前後あちらこちらと自動車を降りては伏せ、ステッキを小銃代わりにして私の方を射撃する格好をする。「伏せてみろ」、「立って」、「もっと低く」などと注文が多い。〈中略〉参謀や副官の「細かくて困る」という意味が分かるような気がした。

一方、堀江参謀は同じ著書の中で、これほど細かい栗林が、作戦の決断と実行に関しては一片の躊躇《ちゅうちょ》も妥協も見せなかったことに触れ、

どうしてあれほどの鉄石の態度が出たのか私には分からない。あるいは、栗林

家の血の流れの特徴かも知れない。自分の思ったことを人の前でずばりといい、いったら最後とことんまできかない強引なところがあった。〈中略〉温厚篤実《とくじつ》タイプは兵団長の強烈な意志と両立できなかった。とうとう参謀長と旅団長は更迭《こうてつ》となり、その後に歩兵戦闘の権威がきた。

と述べている。

栗林は一九四四（昭和一九）年の秋以降、自分の戦術思想と相容《あいい》れない者や能力がないと判断した将校の更迭を行っている。旅団長、参謀長、作戦参謀、大隊長二名など、思い切った人事異動である。新しくやってきた「歩兵戦闘の権威」とは、栗林が大本営に「もっとも優秀な歩兵団長を寄越してほしい」と要請したのに応《こた》えて着任した千田《せんだ》貞季《さだすえ》少将である。実戦型の優秀な指揮官であった。

栗林の峻厳《しゆんげん》な態度は一部の将校たちとの間に不協和音を生ぜしめた。「そこまでしなくとも」あるいは「みずからの能力を恃《たの》むところが大きすぎる」という批判である。

栗林の周囲には、前例を大胆に破っていく指揮官への驚きと抵抗感があったと思われる。生還した将校らは、戦後、防衛研修所戦史室の聞き取り調査に答えて、「緻密《ちみつ》な頭脳、明快な決断力。決定した事項はビシビシ実行に移す型の将軍で、参謀長以下は追随するのに苦労したように観察される」「きわめて公私の別が明らかで、公的には仮借のない統率をされた」などと栗林を評している。

栗林は現実を細かいところまで把握していたからこそ自分の判断に自信をもち、断固として実行することができたのだろう。上に立つ者は細部にこだわらず大局を見るべきであるという考え方もある。しかし、大局ばかりを語り現実を見なかった当時の戦争指導者たちの楽観的な目論見《もくろみ》はことごとく外れた。現場の状況の細部を無視して決められた方針は戦場の将兵たちを苦しめ、ついには敗北を招いたのである。

現実が厳しければ厳しいほど、それを直視することが指揮官には必要である。前出のジェイムズ・ブラッドリーは栗林を「あの戦争において、冷静に現実を直視し、それゆえ楽観的立場に立たなかった数少ない日本の指揮官」と評した。

先入観も希望的観測もなしに、細部まで自分の目で見て確認する。そこから出発したからこそ、彼の作戦は現実の戦いにおいて最大の効果を発揮することができたのである。

水際作戦を捨てたことに加え、すべての陣地を地下に構築したことが、硫黄島の日本軍の善戦の理由だった。

起伏に乏しいこの島には、軍事上の拠点に適した場所がほとんどなかった。また、米軍の猛烈な空襲や艦砲射撃に対しては、普通の防空壕《ぼうくうごう》やタコツボ（一人用の塹壕《ざんごう》）を掘っても、瞬時に壊滅してしまうと思われた。

ならば、すべての陣地を地下に作り、それらを通路で結んで行き来できるようにするのが最上の方法である。そう栗林は考えた。島中を歩き回ったとき、あちこちに天然の洞窟《どうくつ》があることも確認していた。これを利用しない手はない。

また、武器弾薬、装備、兵力のすべてに劣る日本軍が少しでも長く抵抗を続けるには、正面切って戦いを挑むのは無謀だった。地下の陣地に潜み、相手の不意をついて奇襲攻撃を仕掛けるのが効果的だと栗林は判断したのである。それなら最後の一人になったとしても、戦いを続けることができる。つまりはゲリラ戦である。

ゲリラ戦は、勝つことではなく負けないことを目的にした〝抵抗の戦術〟である。戦力において劣る側が、圧倒的に優位な側に対して消耗戦を行おうとするとき、選択の余地はほかにない。毛沢東が率いた中国共産党軍の戦いしかり、ベトナム戦争しかりである。

陣地を地下に作り、最後の一兵となってもゲリラ戦をもって敵に抵抗する――硫黄島とまったく同じこの方針で戦って大健闘し、米軍を大いに悩ませたのが、パラオ諸島にある小島・ペリリューの守備隊である。

守備隊長は中川州男《くにお》大佐。彼の指揮の下、一万余の将兵が約二か月間の長きにわたって島を死守した。将兵が掘った地下陣地は五〇〇に上《のぼ》ったという。

ここにも天然の洞窟があり、中川大佐はそれを生かす戦法をとった。最大の目的が飛行場の確保であったこと、にもかかわらず自軍はすでに飛行機をほとんど持たなかったことも、硫黄島と同じである。

フィリピン侵攻作戦の足がかりとするためペリリューに米軍が上陸を開始したのは、一九四四（昭和一九）年九月一五日。玉砕は一一月二五日である。この間、ペリリューの守備隊は、粘り強い敢闘善戦によって天皇の御嘉尚《ごかしょう》（お褒めの言葉）を一〇回も受けている。

先んじて米軍の侵攻を受けたペリリューはその作戦内容に硫黄島との共通点が多いが、栗林がペリリューの戦訓をもとに作戦を立てたわけではない。ペリリュー守備隊の善戦が伝えられた頃、すでに硫黄島では、栗林の作戦をもとに地下陣地構築に取りかかって久しかった。二人の智将《ちしょう》がほぼ同時に同じ作戦を立て実行に移したのは、ともに現状を正しく認識し、先例にとらわれず合理的な判断を行ったからであろう。

しかし、地下に陣地を作り島を要塞化《ようさいか》することを思いつくことはできても、それを実行することは容易ではない。その作業が、兵士たちにとってあまりにも過酷なものだからである。特に硫黄島での陣地構築は困難をきわめた。

陣地は、砲弾に耐えられるよう地下一五～二〇メートルの深さに作られた。主陣地が置かれた元山地区は、土丹岩《どたんがん》と呼ばれるやわらかい凝灰岩からなり、比較的掘りやすい地質だったが、問題は最高で摂氏六〇度にもなる地熱と、ところどころ吹き出す硫黄ガスだった。

召集されて第百九師団混成第二旅団野戦病院の衛生兵となった毎日新聞写真部員・石井周治は、戦後の著書『硫黄島に生きる』の中で、陣地掘りの作業についてこう回想している。

空襲と艦砲射撃の間を見計らっては、地質の固そうな場所を掘った。コツン、コツンとツルハシで掘るので、一日中かかっても手掘りでせいぜい一メートル、ダイナマイト一本を使っても二メートルがやっとであった。

地熱の高いところでは地下足袋の底が溶け、硫黄ガスのせいで頭痛がして呼吸が苦しくなる。褌《ふんどし》一本の姿でツルハシやスコップを振るうのだが、五～一〇分で交代しなければならなかった。

十分間交替のわけは、穴の中は地熱が強く、暗闇《くらやみ》の中の労働なので、その十分間でさえも非常な苦痛である。手は豆だらけ、肩にはシコリができ、地熱にあえいで咽喉《のど》がひりひりしても、飲む水がない。

当時、一人に与えられる一日の飲み水は水筒一本と定められていた。生還者の手記には、「二人で一本」、あるいは「四人で一本」だったと書かれているものもある。その貴重な水もしばしば汚染されており、多くの兵士がパラチフスや下痢に苦しめられた。生還者の一人はこの水を「通称鬼の水、死の水と呼び、海岸近くを掘った井戸の水で塩味のついたシロモノで、その上温かいのである」と回想している（『小笠《おがさわら》原兵団の最後』より）。

頼りは、ときたま降るスコールだった。これを天幕で受け、貯水槽やドラム缶に移して保管する。スコールが来るや、栗林を含む全将兵がコップや飯盒《はんごう》、桶《おけ》など、手近な容器を摑《つか》んで駆け出したという。硫黄島における海軍のトップで、第二十七航空戦隊司令官の市丸利之助少将は、「スコオルは命の水ぞ雲を待つ島の心を余人は知らじ」という歌を詠《よ》んでいる。

生還して新聞社に復帰した石井は、戦後七年たって再び硫黄島の土を踏んだ。司令部壕（栗林壕）の内部に足を踏み入れたときのことを、彼は次のように記している。

私が懐中電灯で壁を照らし、天井を照らし足下を照らすと、前方でキラリと光が反射した。ハッと見直すと、どうしてできたのだろう、水溜《みずたま》りであった。むろん地下水なぞ一滴もあろうはずはないのだから、その水は外部から入ったものとしか考えられない。とすると、スコールなどの天水が、七年の歳月の流れとともに、いつしか暗い洞穴の窪《くぼ》みに水溜りを作ったのだろう。

もしこの水が、あの壕掘りの時にあったらと思う。私は無意識に、暗い中で、その水溜りを泥靴で汚さぬように、よけて歩いた。

水不足がいかに兵士たちを苦しめたかがわかる。さらに、米軍が上陸してきて戦闘が始まると、この島の絶望的な水不足は、兵士たちの命までも奪うことになった。

一九四五（昭和二〇）年の初頭からは、地下陣地をつなぐ「洞窟式交通路」と呼ばれる地下道を掘る作業が本格的に始まった。これが完成すれば、一兵たりとも地上に出ることなく、陣地を行き来できることになる。

　米軍の上陸が近いと思われた時期であり、作業は交代制で昼夜を分かたず行われた。地下道の場合、下に向って掘り進むのではなく、地下一五～二〇メートルの地中を平行に掘っていかなければならないため、さらに作業は困難になる。掘るだけでなく、狭い通路から掘った土を運び出すのも、背中に背負ったり、土を入れた箱にひもを付けて地上に引っ張り上げたりと一仕事だった。

　作業の間じゅう、兵士たちは硫黄《いおう》ガスによる頭痛や吐き気に悩まされた。防毒マスクもあるにはあったが旧式のもので、つけると汗まみれになるばかりか呼吸が苦しく、あえて使わない者も多かった。

　有毒ガスと熱気が特にひどく、兵士たちに〝死の坑道〟と呼ばれたのは、元山地区と摺鉢山《すりばちやま》をつなぐ部分だった。米軍が上陸してきたとき、この坑道は未完成であり、両陣地の連絡は早期に絶たれてしまう。このことが、摺鉢山が栗林の目論見よりも早く陥落してしまった一因になったと言われている。

厳しい訓練と陣地掘りにあけくれる兵士たちは「どうせ死ぬ運命にあるのに、なぜこんなに苦しい思いをしなければいけないのか」と歎《なげ》いた。将校の中には「われわれは戦争をしにきたのであって穴掘りをしにきたのではない」と地下陣地構築の中止を進言する者もあったという。しかし栗林は、この島の守備には地下陣地しかないと確信し、厳しい要求を辞さなかった。

本土から陣地構築の専門家が来島して指導にあたり、爆風を避けるために通路を途中で直角に曲げる、入り口と出口の高さを変えて換気が行われやすくする、などの工夫がなされた。

「二手に分かれて両側からこう掘り進んで行ってね、真ん中のところで穴が通じるでしょう。すると、いっぺんに風が通るんです。そうすると、それまで地熱で息苦しいほどの暑さだったのが、さあっと涼しくなる」

そう話すのは、海軍の搭乗整備員として、内地から飛来する輸送機の整備にあたっていた大越晴則である。飛行機の整備や滑走路の整地の合間に陣地づくりを行ったという。「穴掘り」はまさに、硫黄島全将兵を挙げての作業であった。

総出演習、築城日ノ励行ニ努メ全将兵洩《モ》レナク訓練、築城ニ邁進《マイシン》スルコト　殊《コト》ニ

司令部、本部等ノ事務処理ヲ徹底的ニ簡易化シ各級隊長ハ常ニ現場ニ進出シ陣頭指揮ノ徹底ヲ計ル
（「硫黄島防備訓練要項」より）

栗林が出した通達である。全将兵がもれなく築城、つまり陣地構築に邁進せよと命じている。司令部や本部のいわば〝管理職〟も、事務処理などを理由に現場に出ないのはけしからんと言っているのである。兵士たちの士気を高め軍紀を保つには、上官が「現場ニ進出」するしかないというのが彼の考えだった。

栗林はまた、こんな通達も出している。

上官巡視ノ場合　部隊カ工事等ヲ中止シ敬礼スル要ナシ　其《ソ》ノ場ノ指揮官ノミ現況ヲ報告セハ可ナリ　監視兵等モ亦《マタ》強ヒテ敬礼ヲ行ハス監視ヲ続行スルヲ主義トスルコト
（「師団長注意事項」より）

上官が巡視に来ても、工事を中止して敬礼しなくてよい、そのまま作業を続けるようにとの指示である。軍紀に厳しく敬礼の厳正を重んじた栗林だが、あくまでも実践本位であり、形式主義に陥ることはなかった。

当時の栗林の写真を見ると、兵士用の開襟《かいきん》シャツに地下足袋姿で、軍刀ではなく細い杖《つえ》を持っている。このスタイルで毎日、陣地を巡回したという。拳銃《けんじゅう》も携帯せず、つねに丸腰だった。

愛用の杖は目盛り付きのものだった。陣地構築の状況をチェックする際、これであちこちを計るのである。ときには地面に腹這《はらば》いになって死角がないかを確認したり、砂嚢《さのう》の厚さを測って「ここはもっと厚く」などと指示を出した。訓練のときも、一兵の射撃動作に至るまで、実際にやって見せながら手取り足取り指導したという。

独立混成第十七聯隊《れんたい》の大隊長を務め、米軍上陸直前の一九四五（昭和二〇）年一月末に本土に戻った藤原環少佐は戦後、防衛研修所戦史室の聞き取り調査に答えて「防空壕の中に起居するようになってからは、皆と同じように土丹岩に腰を下ろして仕事をしておられた」と回想している。

生還者の手記には、栗林に直接声をかけられた、恩賜《おんし》の煙草《たばこ》をもらったなどという話がしばしば出てくる。地下足袋に丸腰でふらりと現われた人物が最高指揮官だと知って驚いた、あるいは道に迷っていたら栗林が目的の部隊まで案内してくれた、などというエピソードもある。

前出の石井周治は、東京で新聞社に勤務していた頃に面識のあった栗林に、硫黄島で初年兵として再会したときのことを、『硫黄島に生きる』の中で次のように回想している。


その日も、副官室前を自転車を押して歩いて行くと、右手の方から、杖を持った将官がやってきた。来たなと思って、私は直ちに直立不動の姿勢で敬礼した。その将官は、丸腰のかなりの老人である。この老人が、私どもの直属長官、栗林中将であった。

中将は私の側《そば》を通る時、「御苦労」といわれた。その「御苦労」という言葉に、やれやれと思って、中将の顔をよく見ると、栗林中将というのは、近衛《このえ》師団長時代に、しばしば仕事の上で会ったことのある、あの栗林中将ではないか。〈中略〉

中将は、その私の声をきいて、二三歩あともどり、私の顔に目を据えて見ていたが、

「ああ、君はあの新聞社の……石、石、……と、石井君だったな」

と、ニッコリ笑われた。

「ハッ、自分は毎日新聞にいた石井であります」

私は、中将が私を忘れずにいてくれたことが無上に嬉《うれ》しく、おのずから声に力がこもるのであった。

「そうか、石井君か。とんだところで会ったな。いつここへ来たか、ああそうかそうか、まだ、三カ月位しかならんな。暇な時は遊びに来給《たま》え」

といって、むこうにゆっくり歩いて行かれた。

また、海軍予備学生出身の少尉として硫黄島に赴き生還した多田実も、著書『何も語らなかった青春』に、栗林の思い出を記している。

そんなある日、突然陸軍最高指揮官の砲台巡視があった。和智司令が自ら自動車を運転してやってきた。小笠原兵団長として着任したばかりの第百九師団長・栗林忠道中将だった。

「南海岸機銃砲台、人員兵器異状なし」

多田がこう申告すると、そばから「砲台長の多田です」と和智司令が補足した。

「おお、ここはたいへんなところだね」

栗林中将は砲台と眼下の南海岸をゆっくりと見回した。

「多田少尉は学徒出身ですね」

「はいッ、そうであります」

「ご苦労をかけるが、しっかり頼みます」

栗林中将の眼は優しくそして厳しかった。中将はそう言うと次の砲台へ回っていった。


米軍側の資料に、捕虜となった日本兵の多くが栗林の顔を直接見たことがあると主張したことに驚いたという記述がある。二万を超える兵士のほとんどが最高指揮官に会ったことのある戦場など考えられないというのだ。

硫黄島のような生活条件が劣悪な地では特に、上官との接触が少ないと兵士の士気は衰える。たとえ直接顔を見ることはなくとも、雲の上の存在である最高指揮官が毎日陣地を見回っているという話はすぐに伝わり、兵士たちを元気づけたに違いない。

一九四五（昭和二〇）年二月に米軍の侵攻が始まったとき、地下陣地の完成度は約七割だったといわれる。あともう少し時間と資材があればと栗林は悔しがったであろうが、さまざまな悪条件を考えれば、作業は驚くべき順調さで進捗《しんちょく》したと言っていい。

ジェイムズ・ブラッドリーは、「酒も娯楽もなく一人の女性もいない島で、兵士たちが八か月もストレスに耐え得たのは奇跡である」と語った。

前出の藤原環少佐はこの島での日々について、

　硫黄島には全然何もなく、金を貰《もら》っても買う物もなく、軍人以外は誰も居ない殺風景な処《ところ》であって、見えるものは天気のよい日に北硫黄島がかすかに見えるだけで、その他は海ばかりである。私も六か月で頭が変になりそうであった。

と、正直な感想を漏らしている。

硫黄島は逃げ場のない孤島である。水も食糧も不足する中、過酷な作業に従事しながら敵の来襲を待つ兵士たちのストレスは想像するに余りある。しかし連日の空襲や艦砲射撃を避けながら陣地作りと訓練に明け暮れた八か月の間、硫黄島守備隊の軍紀は保たれたのである。

栗林の作戦は、「敢闘の誓」にあったように、もっとも苦しい戦いの末の死を兵士たちに求めるものであった。米軍の侵攻以前からすでに、その戦いは始まっていたといえる。

最高指揮官とは、自分の判断ひとつで兵士たちを死に追いやる者のことでもある。それは人間としてあまりにも重たい行為である。だから、そうした立場に身を置く高位の軍人は、何とかしてその重さと折り合いをつけようとする。

自らの優秀さに、兵士を死なせる立場にあることの根拠を求める者もあろう。あるいは乃木希典《のぎまれすけ》のように、尋常ではない厳しさをもって我が身を律することで折り合いをつける者もいるかもしれない。最も多いのは、宗教に救いを求める者だろうか。

しかし、栗林はそのどれでもなかった。あくまでも合理主義の現実派であり、信仰に頼る気がなかったことは、次のような手紙にもあらわれている。

空襲でも氷鉋《ひがの》（筆者注・義井夫人の実家のあった長野県の地名）のおばあちゃんは「大日如来様《にょらい》」と唱えて少しも恐がらずにいなさるとの話は信仰というものの力でしょう。

ただし爆弾や焼夷弾《しょういだん》は所嫌わず落ちるから信仰も実際の役に立つまい。従って信仰によって気強く過ごすことはよいとしても、空襲に対する心用意や色いろの準備を怠るとどんだ不覚を取ることになるから、その点は充分気をつけたがよいと思います。

段々慣れて横着になり、真面目《まじめ》に退避などしなかったものに限って死傷するのが当地の例でよく分かります。 （昭和二〇年一月二八日付 妻・義井あて）

では、何をもって自分の役割と折り合いをつけていたのか。

無惨《むざん》な死を兵士たちに強いざるを得なかった栗林は、だからこそ硫黄島での日々を、つねに兵士たちとともにあろうとした。そのことはまず、安全で水も食べ物も豊富だった父島から指揮をとることを拒否して硫黄島に赴き、最後までただの一度も島から出なかったところにあらわれている。

栗林の着任まで、小笠原地区集団長として硫黄島を含む小笠原諸島方面の防備を任されていたのは、大須賀應少将である。彼は父島から指揮をとっており、当然、栗林も父島に赴任するものと思っていた。また米軍の上陸部隊も、戦闘がある程度進むまでは、事前の空襲と艦砲射撃で焦土となっていたこの島の中で最高指揮官が直接指揮をとっているとは思っていなかったようである。

長男の太郎によれば、栗林の赴任先が硫黄島であることを家族が知ったのは、一九四四（昭和一九）年の秋であった。栗林の部下が所用で一時帰京し、東松原の留守宅に立ち寄ったときに聞かされたという。栗林の妻も硫黄島よりは父島にいてほしいという思いがあったのだろう、「藤田副官の父親が、父島の方が安全だといっている」という内容の手紙を書き送ったようだ。それに対し栗林は以下のように返事を書いている。

藤田のお父さんが硫黄島より父島が安全だろうと言うたそうだが、その通りでしょう。しかし日本を守るためには硫黄島にいるほうが遥《はる》かに大切なのでそこにいるわけで、一身の安全・不安全は考えておれないのです。

（昭和一九年一一月二日付　妻・義井あて）

島での栗林は、毎日隅々まで歩いて陣地構築を視察し、率先して節水に努め、みずから畑を作った。自宅からの差し入れを断り、三度の食事は兵士と同じものを食べた。兵士たちの苦しみの近くにあることを、みずからに課していたのである。

明日なき命を生きる同胞として、兵士たちの日常の中に自分もとどまる——米軍上陸に備えた栗林の「覚悟」とは、つねに二万の部下とともに生きることだった。

第五章 家族

夕空はれて　秋風吹き
月影おちて　鈴虫鳴く

細く美しい声で、その人は歌い出した。薄化粧した頬を、涙が伝った。

「この歌を、地下壕《ちかごう》掘りを終えた帰り道、海軍の少年兵たちが口ずさみながら歩いていたんですって。ご存じ？　硫黄島《いおうとう》には、一六歳の兵隊さんもいたんですよ」

レースの縁取りのついた白いハンカチで目頭を押さえ、小さく続ける。

思えば遠し　故郷の空
ああ　わが父母《ちちはは》　いかにおわす

「一六歳なんてあなた、まだ子供ですよ。どんなにか、家に帰りたかったでしょうねえ」

埼玉県川口市の自宅に新藤たか子を訪ねたのは、二〇〇三（平成一五）年暮れのことだった。栗林が硫黄島に旅立つとき泣いてだだをこねた「たこちゃん」は、六九歳になっていた。

親戚《しんせき》の誰もが彼女のことを「お父さんにそっくり」と口を揃《そろ》える。闊達《かったつ》な気性も聡《そう》明《めい》さも、と。

そのたか子は、父の思い出を語る間、終始おだやかな表情を崩さなかった。ただ一度声を詰まらせたのは、戦後、日本に返還された硫黄島をはじめて訪れた話になったときだ。

「玉名山というところだったかしら。そこへ行ったときに、案内してくださった生還者の方がおっしゃったんです。〝このあたりを少年兵たちがよく、みんなで歌いながら歩いていたんです。まだ子供っぽい声でした〟って。海軍の司令官だった市丸少将は、歌声を聞いて涙を流されたそうです」

その歌が『故郷の空』だった。

少年たちは、軍歌を歌っていても最後はいつのまにかこの歌になった。戦意を喪失させる女々しい歌として、当時の軍隊では上官に聞かれれば殴られても仕方のない歌だったという。しかし通りかかった市丸少将は、咎《とが》めようとする士官を黙って制し、目を閉じて聞き入った。

南の島特有の、西の空一面に広がった夕焼け。その下を流れた、少年たちの歌声。命知らずの米海兵隊員たちをして発狂者を続出させ、「ブラック・デス・アイランド（黒い死の島）」と呼ばせた硫黄島にも、戦闘前にはそんな美しい時間があったのである。

まだ幼さの残る声のまま、少年兵たちは死んでいった。父の最期《さいご》について語ったときも、「たこちゃんへ」ではじまる手紙が話題に上《のぼ》ったときも平静だった彼女が、彼らを思って泣いた。それはまるで、父の悲しみが六〇年近い時を超え、娘の涙となってあふれ出たかのようだった。

たか子にとって栗林は、留守がちではあったがいつもやさしく面白い父だった。何でもできる器用な人で、こまめに家のことなども手伝っていた。女中が洗う食器を、横に立って布巾《ふきん》で拭《ふ》いてやることもあった。

栗林家に女中がいたのは東京の留守近衛《このえ》第二師団長時代だが、ある日の夕食どきに栗林の自宅を訪ねた軍属の貞岡信喜は、女中も一家と同じ食卓についているのを見て驚いたという。当時ではまずありえない光景だった。

たか子によれば、栗林は「食事はみんなで楽しくにぎやかに食べてこそおいしい。お通夜《つや》のようにしーんとしているのはよくない」と言い、面白い話をしてよく家族を笑わせていたという。

長男・太郎に宛《あ》てた硫黄島からの手紙の中では、自分亡《な》き後の心構えを、

家に居る時は母や妹達と愉快に話をし時に冗談の一つも飛ばして家の中を明るくする事が大切である。

（昭和一九年一〇月一〇日付　長男・太郎あて）

と説いている。当時の軍人には珍しく、栗林はユーモアのある人だった。

硫黄島からの手紙では、蟻《あり》が兵舎めざしてぞろぞろと這《は》い寄ってくる様子を「蟻の善光寺参り」と表現している（栗林も妻の義井も、善光寺のある長野市の出身だった）。この比喩《ひゆ》は自分でも気に入っていたらしく、複数の手紙に登場している。

また、毎日並んで寝ている藤田副官の大いびきに閉口していることを伝え、「嫁ムコを捜すにもこんなところまで調査しないと後で困る訳だね」「（藤田副官の）お父さ

かんだことだろう。」と書いている。妻の目には、夫のいたずらっぽい顔が浮かんだことだろう。

たか子がよく覚えているのは、父に「お馬さん」になってもらい、背中に乗って遊んだことである。

栗林は騎兵出身で乗馬の名手だった。陸軍士官学校を卒業した三年後、陸軍騎兵学校に馬術専習の学生として入校しているが、在学中、誰もが匙《さじ》を投げた荒馬「典渡《てんと》」に落とされても落とされてもかかっていき、ついにただ一人乗りこなせるようになったというエピソードがある。そんな栗林が、たか子が「もういい」と自分から背中を降りるまで、いつまでも四つんばいで歩いたという。現在のたか子の自宅を訪ねたとき、そういえば馬を描いた絵が二点、壁に飾られていた。一点は馬に乗る武将の絵であった。

栗林は三人の子供の中でも、たか子のことをもっとも心配していた。幼くして父を亡くす境遇を憐《あわ》れんだのである。

おばあちゃんが毎朝お父さんのことを神様にお願いになって下さるとのことで、お父さんもそのおかげで大へん丈夫ですが、今度こそはなかなかの大戦争だから、ほんとに無事に帰れるかどうか分かりません。
もし帰れなければ、お父さんはたこちゃんを一番かわいそうに思います。けれどたこちゃんはお母ちゃんの言付けを守り、丈夫で早く大きくなって下さい。そしたらお父さんも安心です。
（昭和一九年九月二〇日付　次女・たか子あて）

妻に宛てた手紙の中でも、たか子のことに何度もふれている。

この間は家に帰ったらお前さんとたか子とが大喜びでしたが、私が「遺言に帰ったのでまたすぐ戦地に帰るのだ」というとたか子が大変悲しがった夢、それからあるお寺へ馬に乗って行くとやはりお前さんとたか子とが先に行って待っていて、私の行ったのにびっくりしていた様子などほんとにはっきり夢に見ました。
（昭和一九年八月二一日付　妻・義井あて）

私は今日もう生きている一日一日が楽しみ（？）で、今日あって明日ない命である事をはっきり覚悟していますが、せめてお前達だけでも末長く幸福に暮させたい念願で一杯です。たか子などは小さくて一番可愛《かわい》そうです。

(昭和一九年八月二五日付 妻・義井あて)

この頃よく夢を見るが多くはお前さんとたか子に関係した夢である。そして随分ありありと見る。多分一番気にかかっているせいだろうと思う。

(昭和一九年一二月八日付 妻・義井あて)

あなたのことを最後まで気にかけていたようですね、とたか子に言うと、
「そうですね。でも、おかげさまで私は幸せな人生を送ってきました」
という答えが返ってきた。

疎開《そかい》先で終戦を迎えたたか子は、母とともにまもなく東京に戻る。姉の洋子は終戦直後、腸チフスでこの世を去っていた。

成績のよかったたか子を、母は保険の外交員や寮母の仕事をして大学まで進ませた。たか子が大映のニューフェイスに合格したのは、早稲田大学仏文科在学中のことである。応募の動機は日本舞踊や礼儀作法を勉強できることであり、女優を目指したわけではなかったという。父を失った当時の栗林家では、習い事をする余裕はなかった。

大映の助監督と恋に落ちたたか子は「映画には〝その他大勢〟の役で一、二度出た

だけ」で引退し、大学卒業後に結婚。三人の子供に恵まれる。その後、幼稚園教諭の資格を取り、義父がひらいた幼稚園の園長となった。

「母が懸命に働いて大学まで行かせてくれました。婚家の義父母にもかわいがられ、苦労らしい苦労もせずにここまで暮らしてきました。私の将来を案じていた父も、きっと喜んでくれていると思います」

そして、しばらく考えた後、こう付け加えたのだった。

「私はね、父も幸せだったと思うんです。あの時代に五〇過ぎまで生きられましたし、軍人として出世もした。……ええ、幸せな人生でした。ほんとうに」

思わず「最後まで、でしょうか？」と問い返すと、彼女ははっきりと「はい」と言って頷《うなず》いた。

つい不躾《ぶしつけ》な問いかけをしてしまった理由は、私の中に、栗林はどんなにか口惜《くや》しい思いをして死んでいっただろうという気持ちがあったからだ。調べるほどに、硫黄島は戦う前から見捨てられていたことがわかっていく。

マリアナ沖海戦に敗れ、サイパンが陥落して絶対国防圏が破綻《はたん》した後の一九四四

（昭和一九）年七月二一日に、大本営はいわゆる〝捷《しょう》号作戦〟を決定した。〝捷〟とは勝利の意味である。

比島（フィリピン）、台湾、南西諸島、小笠原《おがさわら》、本土及び千島にわたる新防禦線《ぼうぎょせん》における防備を強化し、この地域のどこかに敵が来攻したならば、随時陸海軍の戦力を結集して、これを撃滅する。

というのがその方針だった。この新防禦線を突破されればもう後《あと》がない。捷号作戦とは、いわば背水の陣であった。

しかしこの作戦の内容や、それに関する大命《たいめい》（大元帥《げんすい》である天皇の命令）は、硫黄島には一切伝達されなかった。大本営が死守すると決めた新防禦線に小笠原も含まれているにもかかわらず、である。このとき大本営が重視していたのは、フィリピン方面だった。

八月に大本営陸海軍部作戦部長の眞田・中澤両少将が視察にやってきた際、栗林が要望した内容が、眞田少将の日記に残っている。

一　現在戦闘機が一〇（重戦一を含む）、中攻が三機あるだけで、私が東京を出るときは、戦闘機四八、中攻四八機を置くと聞いたが、こんなことでは哨戒《しょうかい》もできない。

四　一二～一三門の二聯装《れんそう》機関銃を使っている。全部で二五粍《ミリ》二聯装機関銃一六〇門あまり出ている。（歩兵）大隊は小隊に軽機関銃が二挺《ちょう》ずつしかない。

二万人以上の将兵がいるのに、飛行機は戦闘機と中攻（九六式および一式陸上攻撃機）が計一三機しかないという。また武器も、小隊に軽機関銃が二挺ずつしかないと訴えている。当時、硫黄島へ物資を運ぶ船には、しばしば大量の青竹が積まれていた。船が撃沈されたときはこれにつかまって泳ぎ、戦闘の際は竹槍《たけやり》を作って小銃の代りに使えというのである。

不足していたのは飛行機と兵器だけではなかった。

五　SB艇（筆者注・一〇〇〇トンクラスの二等輸送艦）三五隻《せき》が父島との間に欲しい。父島と硫黄島との間に漁船でも機帆船でも是非出されたい。

糧秣《りょうまつ》だけでも（父島に）完全に一年半分あるのに、こちらには五〇日分しかない。父島まで送り込んで帰ってしまうのはいけない。重、軽機関銃を空輸されたい、軽機二五〇、重機一六〇を送ると約束したのにその四分の一しか父島に着かぬ、軽迫撃砲も是非欲しい。

九　六月初めから酒も甘味品もない。海軍は酒保（筆者注・日用品や飲食物の売店）や酒の増配があり、小さな島の中で余りにも差がひどすぎるのはよくない。

船も食料もすべてが不足していたのである。父島との間の輸送船が少なく、硫黄島まで食料や兵器が届かなかったこともわかる。最高指揮官が「漁船でもいいから出してほしい」とまで言っているのは、悲惨と言うしかない。ちなみに「機帆船」とは発動機付きの帆船で、沿岸輸送などに使われたものだが、戦時においては輸送船と呼べるレベルのものとは言いがたい。

こうした状況の中で栗林は、いつ攻めてくるかわからない敵から何としても島を守り抜かねばと奮闘していた。結局、地下陣地を作るのに必要な資材は予定の約四分の一しか届かず、兵器や弾薬も不足したままだった。

それでもこの頃はまだ、大本営は硫黄島の防備に関して「本土防衛の一環として優先的に強化を図る」とし、重視の姿勢を見せていた。米軍が来攻した際は、航空戦力を集中して敵を撃滅する作戦だったのである。

何もかもが足りないのは、どの戦場も同じだった。戦線を広げすぎた大本営は、計画を立てて命令を下すだけで、その実行に必要な物資を送ることができない状態になっていた。物資がなかっただけではない。制海権を失っていた日本軍の輸送船は米軍によって次々に沈められ、目的地へ達することができなくなっていた。

太平洋の戦局が不利になるにつれて、大本営の関心は本土決戦へ移り、硫黄島の防備は軽視されるようになっていく。

開戦以来初めての、陸海軍共同による作戦計画である「帝国陸海軍作戦計画大綱」が立案されたのは、一九四五（昭和二〇）年一月二〇日だった。この時点ではまだ、硫黄島は「本土防衛の前線として確保すべき要域」ということになっていた。

それが、この大綱を受けて二月六日に策定された「航空作戦ニ関スル陸海軍中央協定研究（案）」では一転、「結局は敵手に委《ゆだ》ねるもやむなし」となる。ここにおいて硫黄島は、戦う前に放棄されることが決定したのである。

その理由を、大本営は「日本本土の航空基地から遠いため航空戦力の発揮が困難である」「米軍の日本本土侵攻基地としての価値は少ない」ためであるとした。それならば、何のために一万もの兵を送り込んだのか。あまりにも一貫性を欠く、行き当たりばったりの作戦方針といえる。

そして、三六日間にわたる抗戦の後に将兵たちは玉砕した。その敢闘ぶりを知る日本人は今ではほとんどいない。栗林と彼の部下がどんな地獄をくぐったのかは、歴史の中に埋もれてしまっているのである。

こうしたことをすべて承知の上で、父は幸せに死んでいったと娘は言う。

「だって兵隊さん達はみんな、どんなに苦しくても、最後まで父を信じてついてきてくれた。父のような立場の人間にとって、それ以上の幸せがあるでしょうか」

五三歳で逝《い》った父の年齢をはるかに超えた「たこちゃん」は、微笑《ほほえ》みながら、しかしきっぱりとそう言った。

たか子の自宅では、三度にわたって話を聞いた。最後に訪ねたのは二〇〇四（平成一六）年一月の寒い日だった。別れ際《ぎわ》、門まで送ってくれた彼女は「帰りのバスの中でお食べなさい」と、私のコートのポケットにチョコレートを入れてくれた。

彼女の訃報《ふほう》を聞いたのは、それから半年後のことだった。

栗林の妻・義井が没したのは、たか子の死の前年、二〇〇三（平成一五）年秋のことである。「恐ろしい敗戦の運命の中……女ながらも強く強く生き抜くことが肝心です」という夫の言葉通り、戦後五八年を生き抜き、九九歳の長寿を全うした。

栗林夫妻が結婚したのは一九二三（大正一二）年一二月八日。栗林三二歳、義井一九歳のときである。

旧制中学を出て陸軍士官学校に入校した栗林は、騎兵少尉《しょうい》、同中尉を経て陸軍大学校に進んだ。陸軍大学校は、すでに将校となった者が師団以上の大部隊の指揮官となるために学ぶ、いわばエリート将校の養成機関である。

その陸軍大学校を二番で卒業した栗林には上司の娘との縁談も持ち込まれたという。それをすべて断り、同郷の義井と一緒になったのである。

義井は合戦で有名な川中島に近い氷鉋《ひがの》の地主の娘である。旧姓も栗林だがこれは偶然で、親戚《しんせき》ではない。義井の兄の妻にあたる栗林松枝によれば、両方の栗林家に出入りしていた紺屋の紹介で見合いをしたという。

一三歳下の義井を栗林は大事にしたようだ。戦後、義井は夫のことを次のように回想している。

「きちょうめんで、何ごともテキパキやらないと気がすまないくせに、私たちが夜少しおそくなって台所で仕事をしていると、もういいからそのままにして早く寝なさいと、気を回す人でしてねえ……」
（『小説宝石』昭和四五年一一月号「シリーズ・名将の妻」より）

兄が一人いるだけと当時としてはきょうだいが少なく、両親と兄に可愛がられて育った義井は、兄嫁の松枝によれば「お嬢さん育ち」で、娘時代は「呉服屋さんが来て反物を選ぶようなときも、恥ずかしがって奥の部屋に引っ込んだまま出てこなかった」というほど内気だったという。長男の太郎は「母はとにかく優しくておだやかな人でした。のんびりしたところがあったので、せっかちな父にしてみれば、行き届かないところもあったかもしれませんね」と語る。

そんな妻のことがよほど心配だったのだろう。硫黄島からの手紙には、義井を思いやる言葉があふれている。お勝手の隙間《すきま》風《かぜ》から手のあかぎれ、風呂《ふろ》の水垢《みずあか》のことまでを案じる手紙は先に引用したが、妻の健康を気遣う文面は多い。

私もあまり心配しているせいか、この間はお前さんが大変やつれて眼ばかりギラギラ光っている様子を夢に見てしまったのだよ。按摩《あんま》さんは頼んでいるだろうか？　お風呂も一週二回位は沸かして血のめぐりをよくするようにしないと動脈硬化にもなるでしょう。

（昭和一九年一〇月四日付　妻・義井あて）

火薬の袋張りは容易の仕事じゃないらしいね。さぞ肩も張る事だろう。ほんとにお察しする。しかしあまり無理しないがいいでしょう。無理するとやはりからだに障《さわ》るよ。

（昭和一九年一〇月一〇日付　妻・義井あて）

勤労奉仕の一種なのか、各戸に火薬の袋張り作業が割り当てられていたようだ。その大変さをこぼす手紙が妻からきたのだろう、実に優しい言葉をかけてやっている。自分はといえば肩こりどころではなく、このころ硫黄島は絶え間ない空襲と艦砲射撃にさらされ、防空壕で寝泊まりするような状況だった。

この「火薬の袋張り」もそうだが、栗林は妻が手紙で言ってくることに、ひとつひとつ答えてやっている。

小蟻《こあり》の駆除にナフタリンをという話だが、ナフタリンくらいで退治が出来る程度の蟻ではない。それこそ地面でも樹の幹でも家の柱でも壁でもベタ一面だから到底やり切れたものではない。それでも夜は巣に帰るらしくずっと少なくなる。

（昭和一九年八月三一日付　妻・義井あて）

「主婦の友」の切り抜きは読んだ。ああいう悲劇は至る処《ところ》で繰り返されている。戦争だからあきらめて太い神経を持ってみるがよい。一々気にしていると自分までが気が落ちる。

（昭和一九年一二月八日付　妻・義井あて）

お前さんのいう通り戦争は航空戦になってしまったようで、すべてがそれできまってしまうかも知れません。

（昭和一九年九月二〇日付　妻・義井あて）

軍人が大命を受けて戦場に赴いているのである。蟻退治にはナフタリンがいいのではないかと書いてきたり、婦人雑誌の切り抜きを送ってきたりするのにいちいち取り合ってはいられないのではとも思えるが、栗林はていねいに返事をしてやっている。航空戦うんぬんの話などは、陸軍中将である夫に戦争の趨勢《すうせい》を語るなど差し出がましいと考えるのが当時なら普通であろう。

しかし栗林は、戦地にナフタリンを送ろうとするような、妻のどこか幼い生真面目《きまじめ》さ、一生懸命さを愛していたのだろう。ふたりの間には率直にものを言いあえる関係が成立していたようで、栗林の方も「私も米国のためこんなところで一生涯の幕を閉ずるのは残念ですが」（昭和一九年九月一二日付）、「このような大戦争も起こらず普通だったら今頃は、お前達ももちろん私もずいぶん幸福に愉快に暮しておれたろうに」（同年一一月二六日付）など、他の人には明かさなかったであろう正直な思いを綴《つづ》っている。残された手紙を読んでいると、夫婦の会話が聞こえてくるかのようである。

防空壕《ぼうくうごう》にはいる時は冷えるだろうから、小さいアンカか湯タンポを準備する必要がある。毛布も必要。ムシロも用意しておく。

（昭和一九年一二月八日付　妻・義井あて）

くれぐれもお大切に。冷えないように腹巻、腰巻等をしっかりやり、また肌襦《じゅ》袢《ばん》代わりに私のラクダのシャツなど着たらよいでしょう。火も少ないだろうから着込むに限ります。

（昭和一九年一二月一一日付　妻・義井あて）

それから服装のことだが、この前結《ユ》い付草履《ツケ》がよかろうというたが、私の古いアミ上げ靴はどうだろうか？　とにかく身仕度については色々研究し工夫してみるがよい。

（昭和一九年一二月一五日付　妻・義井あて）

この前は古い編上靴をと言うたが、あれはずいぶん悪くなっているかも知れないので兵隊靴はどうだろうか？　と思う。あれなら足袋をはいたままはかれると思う。〈中略〉兵隊靴は私が整理をした靴の箱（応接間の二階にある）の中に入れてある。

（昭和一九年一二月二二日付　妻・義井あて）

留守宅に宛《あ》てた栗林の手紙で、私が直接手にとって読んだものは四一通あるが、その中に天皇、皇国、国体、聖戦、大義といった、大所高所に立ったいわば〝大きな言葉〟は、ただの一度も出てこない。かわりに出てくるのは、アンカや湯タンポであり、腹巻やラクダのシャツであり、屋根裏にしまってある靴の箱である。

生活の細部を見つめるこうした栗林の目は、硫黄島において、地形を細かに観察し、毎日陣地を見回り、兵士たちが何をどのくらい食べているかをチェックした目と同じものであろう。

栗林師団長が単身でよく第一線を巡られたことは語りつがれているが、迫撃中隊が編成され鋭意工事中のある日、東山に単身玉名の木のステッキをついてこられたことがあった。

あわてて集合整列を命じたら、そのままそのままといって状況を聞かれたうえ、ちょうど飯上げ中のルーフィングの兵舎内に入って給養の具合をつぶさに見て、ねぎらいの声をかけて司令部の方に帰って行かれた。当時の献立は粉醤油《しょうゆ》を入れた軟飯、乾燥かぼちゃの一～二片入ったすまし汁が多かった。

（『偕行《かいこう》』昭和六二年七月号　村井康彦「回想の硫黄島」より）

空疎《くうそ》な理想によってではなく、人間が生きるその足もとを見つめる目によって、栗林は戦おうとしたのである。

皇室に限りない崇敬の念を抱いていた山本五十六《いそろく》は、トラックやラバウルといった太平洋の戦場にあっても、毎朝、部下に首都の天候を尋ねたという。皇居が空襲の被害にあうことを怖《おそ》れたのである。

栗林もまた、東京の空襲について心配し、しつこいほど繰り返し手紙に書いている。しかし彼の場合、つねに眼前にちらついてその心をさいなんだのは、火の海を女子供が逃げまどう光景だった。

空襲は相変わらず毎日あります。このごろでは夜間一機か二機、昼間二十機内外の空襲が欠かさずあります。その度ごとにこちらの飛行場や陣地がいためつけられるので、あちらこちら見渡す限り草木がなくなり、土地がすっかり掘りくりかえされて惨憺《さんたん》たる光景を呈するに至りました。内地の人には想像もできない有様です。〈中略〉

これがもし東京などだったらどんな光景（もちろん凄惨《せいさん》な焼野原で死骸《しがい》もゴロゴロしている）だろうなどと想像し、何としても東京だけは爆撃させたくないものだと思う次第です。

（昭和一九年九月一二日付　妻・義井あて）

この戦争で、軍人でしかも最前線に出ている私が死ぬのは仕様がないとしても、お前達内地の婦女子まで生命の危険を感じなければならないのは何としても我慢の出来ない話だから、是非万難を排して田舎に退避し生命だけは全うしてくれ。

（昭和一九年一二月八日付　妻・義井あて）

一家の主《あるじ》のいない留守宅で、空襲の際、家族は無事に逃げのびてくれるだろうか。あまり身体《からだ》が丈夫ではない義井のことが特に心配だったのだろう、栗林は長男と長女に、空襲の際はとにかく母を守るよう書き送っている。

……御身達は何をおいても家に集まり、母を中心に必死の働きをすることが空襲に際しての肝要部であることをよく認識して、あらゆる手段をつくしてそのように実行しなくてはいけない。

学校に何かの規定があっても、自分の家が全滅するか自分が死ぬるかということをよく考えてみて、その規定に馬鹿《ばか》正直にこだわる必要は毫《ごう》もない。仮に御身達が学校を守りに出かけ（恐らく実際は行く事も帰る事もできなくなる）た留守に母一人が家で何ができるであろうか。否《いな》、母一人無惨《むざん》な事にならないと誰が保証できようぞ。

（昭和一九年九月二七日付　長男・太郎　長女・洋子あて）

夫の愛情を一身に受けた妻。その妻が一度だけ、夫からの手紙の文面を黒く塗りつぶしたことがある。年が改まった一九四五（昭和二〇）年一月の手紙の末尾、栗林の鉛筆書きの文章が七行にわたって黒いペンで消されている。

当時、黒インクの下の文字を判読し、書きとめておいたのは長男の太郎である。今もよく注意して見れば、かろうじてもとの文章を読み取ることができる。

義井の手で消された文章は以下であった。

なおもう一つ、墓地についてはこの前、豪徳寺などとも申したが、あれはあの当時、東京に定住できる場合であったからで、今日としてはどこでもよい。殊《こと》にまた、遺骨は帰らぬだろうから墓地についての問題はほんとに後まわしでよいです。もし霊魂があるとしたら、御身はじめ子供達の身辺に宿るのだから、居宅に祭ってくれれば十分です。（それに靖国《やすくに》神社もあるのだから）それではどうかくれぐれも大切にして、できるだけ長生きをして下さい。長い間ほんとによく仕えてくれて有難く思っています。

（昭和二〇年一月二一日付 妻・義井あて）

「墓の話は、母には辛《つら》すぎたのでしょう」と太郎は言う。

それまでの手紙でも「私の一身についてはもう一切気にかけることなく」（昭和一九年八月二五日）、「私のことは、いつも申すよう、どうなってもいいものと覚悟をきめて」（同年八月三一日）などという文面がある。しかし、ここまで具体的に書かれると平静ではいられなかったのだろう。

手紙の実物を見た私は、この部分の五行ほど前にもう一か所、冒頭の数文字が黒く塗られている文章があることに気づいた。用箋《ようせん》を透かしてみると、インクの下に見えたのは「遺書としては」という文字だった。

遺書としては、その後の手紙で色々細かに書き送ってあるから、いざとなっても驚いたりまごついたりせぬだろうと思うが、どうかほんとにしっかりしてもらいたいものです。

栗林の手紙に「遺書」という言葉が出てくるのは、これが初めてである。それまでのおびただしい手紙はすべて、遺書として綴られたものだったことを、妻はこのとき知ったのである。

米軍が硫黄島に上陸したのは、この手紙が書かれた日から数えて二九日後のことだった。

第六章　米軍上陸

硫黄島《いおうとう》上陸作戦の指揮官である米海兵隊のホーランド・M・スミス中将は、栗林が作り上げた硫黄島の陣地を「ウジ虫」に例えた。それは、四〇年間ひたすら第一線の戦場に立ち続けてきた闘将が人生の中で口にしたうちでも最大級の誉《ほ》め言葉であった。

切り刻まれるほどに強くなるウジ虫のように、わが軍に爆撃されるほどに、硫黄島は生気を取り戻した。わが軍の砲爆撃で硫黄島の日本軍飛行場は使用できなくなったし、陣地の一部は破壊された。しかし日本軍の主力には影響がなかったばかりか、彼らはさらに強くなっていったのである。

（「スミス中将回想録」より）

スミス中将は、六二歳という高齢で糖尿病持ちであったにもかかわらず、ルーズベルト大統領に直接指名されて太平洋に赴いた叩《たた》き上げの軍人である。あだ名は〝ハウリング・マッド・スミス〃。〃吼《ほ》えまくるスミス〃あるいは〃かみなりスミス〃といったところか。

彼の指揮する部隊はかならず勝利した。その分、犠牲も多かったが、みずからも危険を顧みなかった。政治に走って兵士の生命を軽んじる軍人を嫌い、太平洋艦隊司令長官であるC・W・ニミッツ海軍大将にさえ、ずけずけと文句を言った。

陸軍部隊を指揮下に置いて戦ったサイパン攻略戦では、陸軍の将官を「攻撃精神に欠ける」として戦闘中に解任し物議を醸《かも》した。腰が引けた臆病者《おくびょうもの》のせいで「マイ・マリーンズ（私の海兵隊員たち）」の生命が失われていくのを黙って見ているわけにはいかない、というのが彼の言い分だった。部下と苦楽を共にし、一貫して政治的な動きとは無縁だった点は栗林と共通している。

口の悪さで知られ、回想録の中でニミッツ大将を「日和見《ひよりみ》主義者」と呼んでいるスミス中将だが、栗林については賞賛を惜しんでいない。

太平洋で相手とした敵指揮官中、栗林は最も勇敢であった。島嶼《とうしょ》の指導者の中には単に名目だけの者もあり、敵戦死者の中に名も知られずに消え失《う》せる者もあった。栗林の性格は彼が残した地下防備に深く記録されていた。

（「米国海兵隊と太平洋進撃戦」より）

将軍に対する評価は、敵将によるものがもっとも信用がおける。顔を合わせることはなくとも、極限の戦場において相手がどう戦うかを見れば、その力量だけでなく、性格や人間性までが知れるのである。

スミス中将が、その不気味なまでのしたたかさをウジ虫に例えた硫黄島の地下陣地。それは、名誉に逃げず、美学を生きず、最後まで現実の中に踏みとどまって戦った栗林の強烈な意志を確かに具現していた。

地下陣地は、戦闘が始まる前からその価値を大いに発揮した。上陸の前哨戦《ぜんしょうせん》として島に加えられた圧倒的な砲爆撃から将兵たちを守ったのである。

硫黄島が太平洋戦争始まって以来最大の空襲と艦砲射撃に見舞われたのは、一九四四（昭和一九）年一二月八日のことだった。真珠湾攻撃からちょうど三年目、米国にとっては屈辱の記念日である。

この日の午後、栗林は妻に宛《あ》てて手紙を書いた。

いつものように、「ウイスキーその他送り物は一切不要と申して置いたがやっぱりその必要はないから今後とも余計な心配はしないがよい」「年末賞与（二六五〇円位と思う）支給されるはずだが、この際お金をいくら貰《もら》ったところで使いようもなかろうからつまらないだろう」など日常的な話題の後に、こう書いている。

今日は十二月八日で、予期はしていたが朝八時半頃から昼の一時頃まで十三回にわたり大型機の空襲あり。その後、引続き艦砲射撃を約一時間半受け、ただ今（午後三時）防空壕《ぼうくうごう》から出て来たばかりである。

近辺へもだいぶ爆弾が落ちたが幸いに何もなかった。全体の死傷もごく僅少《きんしょう》であった。

（昭和一九年一二月八日付　妻・義井あて）

この日だけで、硫黄島に飛来した戦闘機と爆撃機はのべ一九二機、投下された爆弾は八〇〇トンに達した。また、重巡洋艦三隻《せき》、駆逐艦六隻から六八〇〇発におよぶ艦砲射撃を受けている。日本軍は地上では一〇機の飛行機を失ったが、地下陣地に損害はなく、死傷者も少なかった。

それまで間歇《かんけつ》的に行われてきた砲爆撃は、この日から上陸まで一日も休まず、実に七四日間連続で行われた。スミス中将ら米軍の指揮官を驚かせたのは、この間、太平洋のどの戦場をも上回る量と密度で砲弾を撃ち込んだにもかかわらず、陣地が着々と増え、堅固になっていったことである。

空襲や艦砲射撃が始まると、兵士たちは全員、地下に潜る。終わればまた地上に出て作業を続ける。しらみつぶしの砲爆撃に、地上では一木一草にいたるまで死に絶えたが、地下は無傷であった。

米海兵隊公刊戦史『硫黄島』によれば、七四日間に投下された爆弾は計六八〇〇トン。一二月から一月にかけて五回にわたって行われた艦砲射撃の砲弾数は、一六インチ砲二〇三発、八インチ砲六四七二発、五インチ砲一万五二五一発におよぶ。米軍にしてみれば、島そのものが消えてなくなってもおかしくないほどの砲爆撃だった。しかし、偵察機が撮影した航空写真によれば、爆撃を開始した時点で四五〇だった主要陣地が、上陸直前には七五〇に増えていたのである。

ニミッツ大将は戦後、次のように述べている。

マリアナから行動した第七航空軍のB24編隊が、来《きた》るべき強襲の準備として実に七十四日間の連続空襲を行なった。しかしながら、この空中攻撃も日本軍の地下要塞《ようさい》の完成に懸命の努力を注ぎこませるのに役立っただけであった。〈中略〉歴戦剛強をもって鳴る海兵隊の指揮官たちでさえ、空中偵察写真に現われた栗林部隊の周到な準備を一見して舌を捲《ま》いた。（『ニミッツの太平洋海戦史』より）

資材が足りず飲み水も満足にない中、硫黄島の兵士たちは、米軍の第一線指揮官たちをうならせる陣地を作り上げていたのである。

それでも米軍は、五日間あれば硫黄島の攻略作戦は完了すると考えていた。七〇人の従軍記者たちを集めたブリーフィングが米海軍の旗艦エルドラド号上で行なわれたのは、上陸三日前の二月一六日のことである。ウィリアム・ロジャーズ海兵隊准将《じゅんしょう》は、日本軍は上陸を阻止するため、水際《みずぎわ》で徹底的に抗戦してくるだろうとの見通しを述べた。さらに、上陸初日の夜から翌朝にかけて、夜間総反撃つまり玉砕覚悟のバンザイ突撃を仕掛けてくるに違いないと語った。それまで海兵隊が太平洋で戦った日本軍は皆そのパターンだったからだ。

海岸線を確保するためには多くの死傷者を出すことになるだろうが、それさえ耐えれば、あとはこっちのものだ。そう米軍は予想していたのである。

彼らは間違っていた。

二月一六日から一八日まで、米軍は上陸準備のため、海と空の両方から砲爆撃を敢行した。

混成第一旅団工兵隊の伍長《ごちょう》だった高橋利春は生還後、メモや日誌をもとに、硫黄島で体験したことを大学ノートに克明に書きとめた。忘れたいが、忘れてはいけない――あの島で自分の身に起こったのは、そうした種類の出来事だと思ったからである。

彼の部隊は、二七八名中一三名しか生還しなかった。

一九八六（昭和六一）年の高橋の没後、ノートは家族の手許《てもと》に残された。そこには、この三日間の艦砲射撃のすさまじさが次のように描写されている。

　島に向けられていた砲が一斉に火を噴いた。島には大地震が起こった。火柱は天に届くかと思われるようだ。黒煙は島を覆《おお》う、鉄片はうなりを生じて四散する。直径一メートルもある大木も根の方が上になってふっ飛ぶ。轟音《ごうおん》は雷が一〇〇も二〇〇も一度に落ちたようなものすごさである。

地下三〇メートルの穴の中でも身体《からだ》が飛び上がる。まさにこの世の地獄となった。

艦砲射撃に続いて行われた空襲もまた壮絶なものであった。激しい爆撃によって、擂鉢《すりばち》山の山頂四分の一が吹き飛んだほどである。

次は大型機が何十機もそろってやって来る。ブルンブルンとうなりながら来る。銀色である。島の上に来た奴《やつ》は一トンという恐ろしい爆弾を落とす。次から次と落とすその音は恐ろしい。気の弱い奴は気ちがいになる。

ヒューヒューと音を立てて落ちる。続いて大地震が起きる。炸裂《さくれつ》する。岩石も土砂と一緒に中天に舞い上がる。そして落下する。直径一〇メートル、深さ五メートル位の穴が地面に出来る。

人間が居《お》れるような状況にない。連絡等で外に出た日本兵は必ず殺される。夜間を利用して出るより方法はない。

それでも日本軍は夜になると、地上に出て陣地の修復作業を行った。米軍の艦艇から照明弾が打ち上げられると地下壕に退避し、暗くなるとまた這《は》い出していくのである。

島を揺るがす激しい砲撃に耐えた三日間のあとに、その日はやって来た。Dデイ——上陸開始日である。

二月一九日午前三時。海兵隊員たちは、打ち鳴らされる起床ゴングの音で目覚めた。朝食はステーキと卵。Dデイの朝の伝統的なメニューである。

六時三〇分。上陸部隊に出撃の命令が下る。最初の上陸用船艇が海面に下ろされた。

六時四〇分。上陸前の最後の艦砲射撃が始まった。戦艦八隻、巡洋艦一九隻、駆逐艦四四隻が一斉に砲門をひらいた。

八時五分。戦闘機が空母から出撃。海軍の戦闘機コルセアとヘルキャット、そして爆撃機ドーントレス計七二機である。それらが戻ると、今度は海兵隊の飛行中隊四八機が飛び立った。

八時二五分。ふたたび艦砲射撃が開始される。この日の艦砲射撃の規模はノルマンディ上陸作戦をしのぎ、第二次世界大戦間で最大であった。

あまりの砲爆の激しさに、粉塵《ふんじん》と土煙が八メートルの高さまで舞い上がった。かすむ島影を海上から見つめていた海兵隊員たちの様子を、第三海兵師団所属の報道班員だったビル・D・ロスは、『硫黄島 勝者なき死闘』の中でこう描いている。

イモを洗うような大混雑の輸送艦上の甲板にいた兵員、ヒギンズ上陸用舟艇に乗り組んでいた兵員、LST（戦車揚陸艦）から吐き出され水陸両用車の中にいた兵員たちは、こうした空からの爆撃の光景を見て、「これじゃ日本兵は一人残らず死ぬんじゃないか」と考えていた。

また、生還した多くの海兵隊員に取材したジェイムズ・ブラッドリーは、『硫黄島の星条旗』でこんなエピソードを紹介している。

このときでも、オレゴン州ポートランド出身の十八歳のジェイムズ・ブキャナンはまだ、爆撃を映画の中のようなきれいな場面として見ることができた。ロケット弾と爆弾が舞いあげた灰色や黄色、白色の粉塵につつまれてほとんど見えない島、という具合に。彼はスコッティという戦友のほうをむいて、期待をこめて聞いた。「おれたち用の日本人は残っているかな?」

黒こげになったステーキのようなこの島に、生きて呼吸している者がいるなどということがあるだろうか？　この上陸作戦は、もしかすると意外に簡単に片がつくかもしれない——海兵隊員たちの頭を楽天的な予想がよぎった。

彼らは間違っていたのである。


Hアワー（上陸開始時刻）は、午前九時ちょうどの予定だった。二分遅れの九時二分、最初の上陸用船艇が海岸に到着する。

栗林が予想した通り、上陸地は島の南海岸だった。日本軍はまったく抵抗せずに上陸を許した。そして、狭い海岸が兵員と物資、弾薬でいっぱいになった午前一〇時過ぎ、はじめて攻撃を開始したのである。砲弾や銃弾が海岸に降り注ぎ、砲身を下に向けてあった大砲や対空砲が、上陸用船艇を狙《ねら》い撃ちにした。

もっとも威力を発揮したのは、噴進砲だった。噴進砲とはロケット砲の日本式の呼び名で、砲弾が自分自身の力で飛んでいくのが特徴である。大砲のように大がかりな発射装置を必要とせず、製造・輸送が簡単だったことから、一九四三（昭和一八）年頃から南方の戦地に送られて活躍した。栗林が軍中央部から受け取った兵器の中でも特に殺傷能力が高く、硫黄島守備隊の善戦の要因ともなった。

南海岸の黒い砂はやわらかい火山灰でできている。しかも地形は段丘状である。上陸した兵士たちは、一歩踏み出すたびに足首までめり込んでしまう、コーヒーの粉のような砂に足をとられて、なかなか段丘を越えることができない。まるでラッシュアワーのように海岸には兵士たちがひしめいていた。

そこへ雨あられと砲弾が降ってきたのだからたまらない。砂浜には遮蔽物《しゃへいぶつ》はなく、塹壕《ざんごう》も掘りようがない。引き返すことも進むこともできず死傷者が続出した。噴進砲の威力はすさまじく、砲弾が命中すると米兵の四肢はばらばらになって吹き飛んだ。その凄惨《せいさん》な状況は米兵たちを震えあがらせ、海岸は一時パニックとなった。

上陸阻止にこだわらず、いったん上陸させておいて近い距離から狙い撃ちにする栗林の戦略は効を奏した。この日一日で五六六人の米兵が戦死または行方不明となり、一七五五人が負傷し、九九人がいわゆる戦争神経症でそれ以上戦えなくなった。これは三万一〇〇〇名の上陸部隊の八パーセントにのぼる。

もちろん日本側にも大きな損害が出た。水際の陣地は一日目で戦闘力をほぼ失ったが、これはいわば織り込み済みのことであった。栗林は水際で決着をつけるつもりはなく、できるだけダメージを与えた後は、後方の主陣地で戦い、さらに最後は複郭陣地にたてこもって抵抗するつもりだった。

Ｄデイの日没は、午後六時四五分だった。疲れ切った海兵隊員たちは、しかし夜が来てもなかなか眠ることができなかった。日本軍の〝バンザイ突撃〟がいつやってくるかわからないからだ。

上陸日の夜には大規模なバンザイ突撃があると米軍は確信していた。これまで戦った太平洋のすべての島でそれは行われた。日本刀を振りかざした将校、銃剣や手榴弾《しゆりゆうだん》を持った兵士。奇声と怒号、連呼されるバンザイ……。米軍にとってバンザイ突撃は嫌悪《けんお》と恐怖の対象だったが、同時に日本軍の兵力を一気に減少させるチャンスでもあった。無謀に突っ込んでくる日本兵たちは、すぐに総崩れになるからだ。

昼間の水際の戦闘と夜間のバンザイ突撃によって、日本軍の戦闘能力は初日で急激に低下するのがこれまでの常だった。硫黄島が五日間で落ちると考えたのも、それを計算に入れてのことだったのである。

Ｄデイ・プラス１（上陸日の一日後）の早朝、エルドラド号の上から島を眺めていたスミス中将は、なぜ日本軍はバンザイ突撃を仕掛けてこなかったのだろうと考えていた。彼はこのときまだ、硫黄島の総指揮官がどんな男であるかを知らなかった。

栗林の戦いはこれからだった。

米軍が上陸したとき、司令部壕の戦闘指揮所で、栗林は何を考えていたのだろうか。アメリカ人の書いた戦記には、サムライたる栗林が満を持し、手ぐすね引いて敵を待ちかまえていたという表現が多くなされている。しかし実際はどうだったのか。

「アメリカは、日本がもっとも戦ってはいけない国だ」

開戦前、栗林はしばしば家族にそう語っていた。アメリカに留学し、その国力を自分の目でつぶさに見た経験からであろう。軍属であった貞岡信喜は今も、「閣下はアメリカとの開戦に反対したため、東条首相に嫌われて硫黄島行きを命じられた」と信じている。

それに加えてアメリカは、栗林にとって「もっとも戦いたくない国」でもあったのではないだろうか。二年間の滞在で栗林が触れたのは、アメリカの経済力や軍事力だけではなく、そこに暮す普通の人々の、日本人と変わらない日常だった。

二〇〇三（平成一五）年秋、昭島市の栗林家を初めて訪ねたとき、一冊だけ、硫黄島からのものではない手紙のファイルがあった。開いてみて、戦地からの手紙とのあまりの違いに驚かされた。

罫《けい》のない白い紙にのびやかなタッチでユーモラスな絵が描かれ、短い文章が添えられている。三〇代の栗林が留学先のアメリカから留守宅に送った、計四二枚の絵手紙であった。

絵はどれも驚くほど達者である。自在な筆運びは素人《しろうと》離れしており、栗林の意外な才能を見る思いがする。

長男の太郎は当時三歳。まだ字が読めない息子のために、アメリカでの生活ぶりを絵に描いて知らせたのである。

これはアメリカの子供が
遊んでいるところです
この辺は三輪車が大流行です
御父さんは子供がこうして
遊んでいるのに出会うと
きっとしばらく立ち止まって
見ています
太郎君もこうして

元気よく遊んでいるかと思って

(昭和三年八月二七日 ニューヨーク州バッファロー発
原文は漢字+カタカナ 以下同)

この手紙には、三人の子供が三輪車に乗って遊んでいる絵がペンで描かれている。幼い息子のことを異国でたびたび思い出していたのだろう、絵手紙には小さな子供がよく登場する。下校する子供を車で送ってやろうとしたり、親交のあった陸軍大尉《たいい》の娘のダンスに感嘆したり。新聞配達の少年を部屋に呼んでご馳走《ちそう》することもあれば、夜道で貧しい兄弟に声をかけることもあったようだ。

御父さんは新聞配達の子供をよんで
ご馳走しています

今の御母さんはまま母なんです
ほんとの御母さんは
赤んぼの時に亡《な》くなってしまったから

知らないよ
御父さんは曹長です
経理室というところにつとめているの
おじさんは知らないかね?
私　大きくなったら　きっと日本に行くよ
おじさんとこの子は太郎っていうの?
おもしろい名だね……

ああ　なにかい
毎晩新聞配達をしてくたびれないかい
さあさあ　今日は御菓子にくるみに
色々買ておいてやったから
どんどんおあがり
なに?　日本語を教えろって?
むずかしいよ

(日付・場所不明)

御父さんが晩九時頃、
自動車を下りてちょっと歩いていると
薄暗いところに しょんぼりと立っている
二人の子供がありました
その一人は太郎君と同じ年輩だから
思わず立ち止まりました

こんなに晩おそく 何しているんだね
御前方は兄弟だね
靴はどうした、何、ない？
可愛《かわい》そうだな、どれどれ少しずつお銭やろうね……

これは僕の弟なんだよ
ええ、メキシコ人だよ
うちのお父さんはお酒呑《の》んで困るよ

僕、六歳だよ
うちのお父さんはお銭ちっともくれないよ
有難う　有難う　有難う

（日付・場所不明）

これらの絵手紙は、一冊の本のように丁寧に綴《と》じられていた。私が手にした時点で、書かれてからすでに七五年の歳月を経ていたが、汚れや傷《いた》みはほとんどなく、彩色されている二点の絵も色褪《あ》せていなかった。家族がいかに大切に保管してきたかがわかる。

死地となった硫黄島からの手紙については多くを語りたがらなかった太郎だが、絵手紙を前にすると表情がやわらいだ。これらの絵手紙からは、日本が暗い戦争に突き進む直前の、向上心と好奇心にあふれた若い父親の姿が伝わってくる。のちに一家が辿《たど》ることになる運命を思えば、主《あるじ》が単身赴任中だったとはいえ、家族にとってもそれは幸福な時代であったといえるだろう。

「アメリカでの父は人気者だったようです。ほら、この手紙を見てください」

太郎が指さした手紙には、タクシーに乗って走り去る栗林と、手を振って見送る人たちが描かれていた。留学当初、民間人の家に下宿して暮していたバッファローという町を去り、首都ワシントンに向う場面である。添えられた文章にはこうある。

「バッファロ」の下宿のおばさんや
近所のおばさん達がみんなして
御父さんが帰ってしまうのを
惜しがっているところです
御父さんはそれ程
みんなに好かれました

（昭和三年一一月一九日　ワシントン発）

栗林がアメリカ留学に出発したのは一九二八（昭和三）年三月のことである。陸軍大学校を出て五年目、三六歳の騎兵大尉だった。

海外留学は当時、陸軍大学校を優等で卒業した〝軍刀組〟（恩賜《おんし》の軍刀を受けたのでこう呼ばれる）の特権だった。行き先はドイツ、ロシア、イギリス、アメリカ、中国など。最も多くの軍刀組が留学したのはドイツである。

栗林は陸軍士官学校の二六期だが、二五期から二七期までで海外留学を経験した二八名の留学先を見てみると、ドイツが一〇名ともっとも多く、ついでフランスが七名となっている。アメリカは四名、イギリスは一名で、英語圏の少なさが目につく。日本陸軍には米英を知悉《ちしつ》した軍人が少なく、その軍事力・国力を軽んじたことが太平洋戦争の敗因のひとつといわれるが、これは陸軍の高級将校の養成システムとも関係があった。

陸軍の典型的なエリートコースは、陸軍幼年学校から陸軍士官学校へと進み、さらに陸軍大学校を卒業するというものだった。これとは別に、陸軍幼年学校を経ずに、普通の中学校（旧制中学）から陸軍士官学校に進むこともできたが、出世という点から見ると、圧倒的に幼年学校出身者が有利だった。幼年学校卒が本流、中学卒は傍流という考えが根強くあり、陸軍の中枢《ちゅうすう》ポストの多くは幼年学校出身者で占められていた。

この陸軍幼年学校の語学カリキュラムにあったのがドイツ語、フランス語、ロシア語である。一九三八（昭和一三）年以前には英語はなく、また日本の陸軍は長くドイツを手本としてきたため、幼年学校の生徒の多くはドイツ語を選択した。ドイツへの留学が多かったのはこうした理由もあるのである。

これに対し、普通の中学校では英語が必修で、そのため中学校から陸軍士官学校に進んだ者は英語圏である米英に留学することが多かった。しかし中学出身者はあくまで傍流とみなされたため、英米をよく知る軍人が重要なポストにつくことは少なかったのである。

栗林は幼年学校出身ではなく、地元長野の中学校から陸軍士官学校に進んでいる。栗林が騎兵第一旅団長として中国の包頭《パオトウ》にいたときの部下の一人は、「栗林閣下が広い視野の持ち主だったのは、幼年学校出身でなかったことが大きいと思う」と私に語った。

確かに幼年学校出身の軍人はエリート意識ばかり強くて視野が狭かったと批判されることがある。陸軍幼年学校はもともとプロイセンの貴族の子弟を軍人にするための学校をモデルに作られたものであり、高級将校の子供が入学することが多かった。

ともあれ、中学出身で英語が得意だった栗林はアメリカに留学する。妻と長男を残しての単身赴任だった。米国騎兵第一師団付として軍事研究のかたわら、ハーバード大学、ミシガン大学の聴講生となり、語学やアメリカ史、また当時のアメリカの国情などを学んだ。

アメリカのモータリゼーションの隆盛に大いに興味を引かれた栗林は、当時最新だったシボレーK型を入手して運転を練習、一九二九（昭和四）年の一二月にはカンザス州から首都ワシントンまでの一三〇〇マイルを単身で走破するという〝冒険〟をやってのけている。細い雪道を通っての山越えもあり、吹雪の中でパンクして難儀した様子などが絵手紙に描かれている。

長兄への手紙には、この旅行のとき砂漠で車が故障して困っていたら、一七〜一八歳の娘が自分で運転して通りかかり、修理してくれたことに驚いたというエピソードが記されている。アメリカでは一六歳以上なら届け出をすれば誰でも運転ができ、簡単な修理はみな自分でやることにいたく感心したという。

机上の学習だけではなく、こうした日常的な経験からも栗林は日本との国力の違いを実感したようだ。

アメリカは、栗林の身の回りの世話にやってくる「女中の御婆《おばあ》さん」でさえ自分の車を持つことのできる国だった。

女中の御婆さんがこの頃
自動車を買い換えたというので
御父さんに見せています

なるほど
なるほど
なるほど
これはいい……
丁寧に使うたら
大部《ママ》長持しそうだぜ……

キャプテン（＝大尉）よ
わたしゃ自動車を買い換えたよ
四百ドルさ　古《ふる》としては相場ものさ
前のかね？　あれは亭主にやったよ

亭主と財布は別にしているね
亭主はほんとにいい人だが
酒を飲んだりばくちをやるで

いつも私の金をねだるで困るよ
今年になってからも　もう随分貸したね
ベラベラベラベラベラ

御父さん腹の中で思えらく
「こんな婆の自動車でも
日本の田舎を走っている
乗合自動車よりよっぽどいいや
ほんとに日本も　どうかしないといけないな……
それはそうと　亭主と懐《ふところ》を別にしているとは
これもやはり　アメリカ式だわい……」

（日付・場所不明）

栗林が帰国の途についたのは、一九三〇（昭和五）年四月である。ロンドン、パリ、ベルリンを経由して、同年七月に日本に到着した。
二年に及んだアメリカ滞在中、栗林は米軍人やその家族と親しく付き合い、中には深い友情で結ばれた軍人もいた。そのうちの一人に、米国陸軍騎兵学校の校長ジョージ・モスレー准将《じゅんしょう》がいる。

栗林家で見せてもらったアメリカ時代の写真アルバムに、一枚のポートレートが挟んであった。モスレー准将のものである。そこにはこんなメッセージが添えられていた。

アメリカでのあなたとの楽しかった交際を、
私は一生忘れることはないでしょう。
あなたと日本の繁栄を祈っています。

硫黄《いおう》の臭気がたちこめる地下陣地の奥深くで米軍の上陸を待ちながら、新聞配達の少年を、シボレーでのドライブを、自宅に招待してくれた軍人一家を、栗林は思い出すことがあったろうか。

一九四五（昭和二〇）年二月一九日、Dデイ。もっとも戦いたくなかった国アメリカを、国土の最前線で迎え撃つという歴史の皮肉のただ中に、彼はいた。

第七章　骨踏む島

「まもなく右手に硫黄島《いおうとう》が見えます。どうぞ、窓からご覧ください」

搭乗員のアナウンスで、全員が一斉にシートベルトをはずして立ち上がった。航空自衛隊C‐1輸送機が入間《いるま》基地（埼玉県）を飛び立ってから二時間半が経《た》っていた。

輸送機の窓は小さく数も少ない。譲り合いながら順番に覗《のぞ》き込んでいるのは、この島で戦死した日本兵の遺族たちだ。

私も薄く曇った窓ガラスに額をくっつけて下を見てみた。直径五〇センチほどの丸窓の中にすっぽりと収まるほど島は小さかった。

「……こんなに狭いところでねえ」

杖《つえ》で身体《からだ》を支えた老婦人が隣でつぶやいた。入間を発《た》ったときからずっと、白い花束を胸に抱くようにして座っていた人だ。

遺族たちが島の全景を目に焼きつけるのを待つように、機体は何度かゆっくりと島の上空を旋回してから、ようやく下降を始めた。

「この滑走路の下にも遺骨が眠っていることを知っていますか。私たちは、骨を踏んで上陸するんです」

父親を硫黄島で亡《な》くしたという初老の男性が話しかけてきた。

滑走路の遺骨の話は何度か耳にしていた。現在、自衛隊の飛行場があるのは、戦時中、日本軍の元山飛行場だったところである。米軍が奪取したこの飛行場には、死守しようと戦った日本兵のおびただしい遺体が残された。本土攻略に向けて滑走路の整備・造成を急いだ米軍は、遺体を回収しないまま、その上にアスファルトを敷いたといわれている。

一九六八（昭和四三）年、硫黄島を含む小笠原《おがさわら》諸島は日本に返還された。この飛行場を引き継いだ自衛隊は、米軍の滑走路を少しずらした位置に新しい滑走路を建設した。その際、緊急発掘として一帯の三三か所を掘り、できる限り遺骨を収集したが、まだ多くの遺骨が埋まっているはずだという。

父が、夫が、兄弟が斃《たお》れた地に、遺族がその骨を踏んで降り立つしかない——ここは、そういう島なのである。

この滑走路を現在使用しているのは、実は自衛隊だけではない。米軍の空母艦載機の夜間発着訓練が行われているのだ。住民がいないので騒音問題はなく、絶海の孤島でほかに灯《あか》りもないため、飛行場を海に浮かぶ母艦と見なして訓練するのに最適なのである。自衛隊機と米軍機の両方が、日本兵の遺骨の上で発着を繰り返していることになる。

飛行場に降り立つ足が震える思いだったが、考えてみれば、日本兵の遺骨が残されたままになっているのは何もここに限ったことではない。硫黄島で戦った日本軍二万余のうち、実に九五パーセントが戦死。生き残ったのは捕虜となった約一〇〇〇のみであり、そのほとんどが重傷を負って米軍に収容された者だという。

一九七〇（昭和四五）年から本格的な遺骨の収集作業が進められているが、今なお一万三〇〇〇柱を超える遺骨が地下に眠っている。この島の上を歩くことは、それがどこであっても、すなわち骨を踏んで歩くことなのだ。

その中に、おそらくは栗林の骨もある。玉砕を覚悟した最後の出撃に際し、将軍は陣の後方で腹を切るのが当時の通例だった。しかし栗林はそれをあえて破り、みずから陣頭に立った。

戦闘の後、敵将の敢闘ぶりに敬意を表した米軍が遺体を捜索したが、階級章を外していたため発見できなかったという。栗林は部下の兵士たちと同じく、誰のものとも分からぬ骨として島の地下に眠ることを選んだのである。

遺族らによる日帰りの慰霊巡拝に同行したのは、二〇〇四（平成一六）年一二月のことである。

遺族を募っての本格的な慰霊巡拝が始まったのは昭和四〇年代後半である。硫黄島で行われる慰霊事業にはいくつかの形態があるが、私が参加したこのときは、硫黄島協会が主催し、監督官庁である厚生労働省の職員が同行、自衛隊が協力する形だった。硫黄島協会は、生還者と遺族が中心となって一九五三（昭和二八）年に設立され、以来、遺骨収集や慰霊事業に熱心に取り組んできた民間団体である。

現在の硫黄島に住民はいない。海上自衛隊と航空自衛隊が合わせて三五〇名ほど常駐するほかは、施設工事関連の防衛施設庁職員および建設業者が在島するのみである。

米軍上陸前年の一九四四（昭和一九）年夏、戦禍を避けるため疎開《そかい》を余儀なくされた住民たちは、島の日本返還後も帰島を許されなかった。これといった産業がないことや、生鮮食料品をはじめほとんどの生活物資を島外から運び込まなければならないことなどから、定住は困難とされたのである。

そのため現在の硫黄島に民家はなく、自衛隊内の売店以外は一軒の商店もない。遺族・関係者の慰霊巡拝や旧島民の墓参等を除けば、一般市民の上陸は原則として許されない。まさに基地だけの島なのである。

かつて日本軍はこの島を、太平洋に浮かぶ不沈空母として死守を命じたが、その呼び名がふさわしいのはむしろ、飛行場とそれに付随する施設以外何もない現在の姿のほうかもしれない。

飛行機を降りた遺族たちは車に分乗し、まず島の北東部にある天山《てんざん》慰霊碑へ向かった。

島を一周する舗装道路の両側は緑の木々に覆《おお》われている。南島らしい鬱蒼《うっそう》としたジャングルではなく、いじけたような灌木《かんぼく》の茂みであるのは、ここが硫黄の臭気漂う火山島であるせいか。それとも絶えず吹きつける強い潮風のせいなのだろうか。

米軍によってこの島に投下された砲弾・爆弾を全部合わせると、全島の表面を厚さ一メートルの鉄板で覆うに等しい鉄量になるという。一度はすべての動植物が焼けこげ、死に絶えた島。そこに今茂っている木々でもっとも多いのは、「銀ネム」という低木である。

銀ネムは、もともとこの島にあった植物ではない。占領後、米軍が空から大量の種子を播《ま》いたのである。根付きやすく成長の早い木を選んだのは、島中に野ざらしになっていた日本兵の遺体の死臭を消すためだったともいわれる。

追悼式が行われた天山は、海からの強い風に終始さらされている小高い丘である。遺族たちは慰霊碑に歩み寄り、水筒やペットボトルに詰めて内地から持ってきた故郷の水を代わる代わるふりかけた。

参加した遺族は五〇人ほど。未亡人は七〇代の終わりから八〇代、もっとも若い遺児は、父の出征のとき母の胎内にいたという五九歳の女性であった。

参加者の中には、厳密に言えば遺族ではない人もいた。

「一〇年前に亡くなった夫は、米軍が上陸してくる前に内地へ転属になったそうです。ほとんどの部下が戦死したのに自分は生き残ったことを、死の間際《まぎわ》まで気に病んでいました。いつかは島へ渡ってお参りをしたいと言いながらついに果たせなかった夫の代わりに、今回、娘と一緒にやって来たんです」

妻は七七歳、娘は五二歳。夫の写真を持参し、長い間慰霊碑に手を合わせていた。

マイクロバスやワゴン車に分乗して島内を巡る。島のどのあたりで亡くなったのかは、出身地や部隊名をもとに、硫黄島協会のスタッフによって事前に調べてある。

どの遺族も、自分の肉親が亡くなったその場所に行って線香をあげ、手を合わせたいと願う。しかし、午後四時過ぎには帰りの飛行機に乗らねばならず、時間は限られている。

加えて火山島であるこの島は、一見、灌木や草に覆われて平らに見えても、その下の地面は凹凸が激しい。うっかり踏み込むと転げ落ちることがあり、壕《ごう》が隠れていることもある。高温の蒸気が噴き出している岩場もあり、島内を一巡している舗装道路を外れることは危険なのである。

この先に夫や父や兄がかつて所属していた部隊があったとわかっていても、近づくことができず、道端や車中からの参拝しか許されないこともある。

「お願いします、そばに行かせてください。三〇秒でいい、車を下りて線香をあげさせてください」

そう運転手に懇願する声が聞こえた。暑い日差しが降り注ぐ中、きちんと背広を着た初老の男性である。やっと肉親の最期《さいご》の地に立った人の、六〇年分の慟哭《どうこく》がにじむ声であった。

栗林が立てこもっていた司令部壕（栗林壕）は、島の北部にあった。

米軍は南から北へ攻め上《のぼ》ってくるという予測のもと、最後まで抵抗を行うための陣地としてここが選ばれ、実際にその通りになった。北側は温泉浜～北ノ鼻と続く海岸で、もう後《あと》がない場所である。

壕は一連の高地に取り囲まれ、コの字形の台地にちょうど抱かれるような格好になっている。茶色い岩肌を見せた低い断崖《だんがい》の裾《すそ》のあたりに、背をかがめれば入れるくらいの入り口が見えた。当時はもちろん巧妙に偽装されていたはずだ。

覗き込んでも奥の見えない暗い穴のまわりは、ところどころ残るセメントの間から、錆《さ》びた鉄筋が数本飛び出している。入り口の足もとはすべりやすい下り坂で、その先に階段が続く。しばらく下りていくと、通路が急に狭くなった。膝《ひざ》を折り、背をかがめて歩いても、背中を天井にこすってしまう。外の光はまったく届かず、懐中電灯がないと一歩も前に進むことができない。

数メートル進んだところで、通路が左に直角に折れ、その先に広さ六畳ほどの小部屋があった。コンクリートで固めた堅牢《けんろう》な作り。栗林の居室だったところである。

米軍上陸の前哨戦《ぜんしょうせん》となる艦砲射撃と爆撃が始まって以来ずっと、栗林はここで指揮をとっていた。作戦を練り、各地区隊からの報告を聞いて命令を発し、大本営への報告や戦訓電報を書いた。現在は何もなくガランとしているが、当時は執務用の机が置かれていたはずである。

米軍が司令部壕の近くまで迫ってきた一九四五（昭和二〇）年三月上旬、一人の米兵が火炎放射器を手に、この部屋の入り口まで侵入してきたことがあったという。しかし栗林は、執務に夢中で気づかなかったのか、机に向ったままだった。当番兵がすかさず軍用毛布を広げて米兵との間をさえぎると、「やあ、ありがとう」と言って立ち上がり、落ち着いて奥へと歩いて行った。米兵はその悠々とした態度に気圧《けお》され、そのまま踵《きびす》を返して逃げ去った——。

この話は栗林の剛毅《ごうき》さを伝えるエピソードとして、兵士たちの間で感激をもって語り伝えられたという。実際にあったことなのかどうかは定かでないが、戦闘のさなかに口伝えで広まったというそのことが、栗林が兵士たちにとってどのような存在であったのかを表わしている。自分たちには命を預けて悔いない立派な指揮官がいる——そうした思いを支えに、避けられぬ死をわずかでも納得したかったのではないだろうか。

この部屋からさらに先へ続く通路を進むと、突然広いスペースに出た。高さ三メートルはあろうかと思われる天井は岩肌がむき出しになっており、なかば崩れ落ちている。部屋というより巨大な穴倉といった感じのここは、天然の洞穴を利用して掘り広げられた場所で、作戦会議などに使われていたという。

この巨大な洞穴からは四方に通路が延びており、それぞれの通路の左右にポケット（一人が横になれる広さの待避所）が設けられている。今では行き止まりになっていたり鉄格子《てつごうし》がはめ込まれていたりして先に進むことはできないが、かつては迷路のように通路が交差し、九つの出入り口につながっていたのである。

栗林が家族への手紙を書いたのは米軍が上陸してくる前だから、ここではなく地上だったろう。しかし彼が人生の最後に記した文章、すなわち訣別《けつべつ》電報は、この司令部壕の中で書かれたはずである。日の光が届かない地下で、家族に手紙を書いたのと同じ用箋《ようせん》と鉛筆を使い、同じように几帳面《きちようめん》な細かい文字で、栗林はあの文言を一字一字書きつけたのだろうか。

案内の人が先に壕を出た後、栗林の居室の真ん中に立って懐中電灯を消してみた。空気が急に濃くなり、天井から闇《やみ》がのしかかってくる。米軍上陸から玉砕までの三六日間、栗林はこの壕を出て日の光を浴びることが一度でもあったのだろうかとふと考えた。栗林が最後の総攻撃を行ったのは三月二六日未明とされている。まだ暗いうちだったろう。

日本軍が玉砕し、島が米軍に占領されてからも、多くの日本兵たちがゲリラとなって壕に潜んでいた。彼らは夜陰に乗じて、あるいは米軍の陣地に斬《き》り込みをかけ、あるいは食料や水を漁《あさ》った。昼間はじっと地下にこもっているから、何日も何か月も日光を浴びることはなかった。

やがて食料も水も尽きて骨と皮ばかりになり意識も混濁する中、「死ぬ前に一度だけお天道様《てんとう》を拝みたい」と壕から這《は》い出したところを捕らえられて捕虜になったという話を生還者から聞いた。壕の出入り口を米軍によって爆破で塞《ふさ》がれ、地下に閉じこめられたまま窒息死や餓死した者も多い。

実際に地下壕の奥深くに下りてみると、たとえそれがわずかな時間であっても、暗闇と澱《よど》んだ空気に圧迫され動悸《どうき》がしてくる。

「硫黄島戦闘の特色は、敵は地上に在りて友軍は地下に在り」――海軍司令官、市丸利之助少将による戦訓電報の電文が甦《よみがえ》る。栗林が選んだ戦法の過酷さが、あらためて胸に迫った。

硫黄島に掘られた地下壕の正確な数はわかっていない。一〇〇〇を超えることは間違いないと言われ、約五〇〇〇とする戦史研究者もいる。その内部には今も数多くの遺骨が眠っているはずだが、まだ発見されていない壕が多い。戦闘中や占領直後に米軍によって出入り口が爆破されたり、あるいはブルドーザーで壕ごと埋められたりしたため、島が日本に返還されたときにはすでに場所を突き止めることが難しくなっていた。その上、現在では地表を植物が覆い、ますます位置がわかりにくくなっている。

遺骨収集が始まった当初は、生還者が当時の記憶を辿《たど》って自分のいた壕を探したり、残されたわずかな資料を頼りに捜索を行ったりしたという。現在では、銀ネムの枝とそこに絡《から》みつく蔓《つる》性の植物を鉈《なた》で払って道を作り、這いつくばって壕の入り口を探す。あるいはブルドーザーで表面の土を除いて、その下に隠れている壕を掘り出す方法をとることもある。米軍が壕を爆破するために引いた導火線が見つかり、それを辿っていくことで入り口がわかった例もある。

壕の内部は、なかば土に埋まっていることも多い。すべての土を慎重に運び出し、ふるいにかけて遺骨がないかを調べる。ほぼ完全な形で残っていることもあるという。

今回の慰霊巡拝が三回目の渡島になるという遺児がいた。大分県から妻とともに参加した山際義和である。彼は父親をこの島で亡くしている。召集されたとき父親は三九歳、小学生だった山際を頭に三人の子供がいた。未亡人となった母親は戦後、子供たちを抱えて言葉に尽くせぬ苦労をしたという。

山際は一九八四（昭和五九）年に遺骨収集に参加している。遺族が直接出かけて行う形の収集作業が本格化した最初の頃である。このときは約四週間で一三五柱の遺骨を収容したという。

「四〇年近く密閉されていた地下壕には酸素がないので、まず機械でエアを入れます。それから身体《からだ》にロープを縛りつけ、地上から吊《つ》り下げられるようにして降りていくんです。私が最初に入った壕は深さが二〇メートルありました」

壕内は温度が八〇度になるところもあり、硫黄《いおう》ガスで中毒になる危険もあるため、作業は一度に二〇分が限度だったという。

すぐそこに遺骨があるのが見えていても、温度が高かったり酸素が薄かったりして収容することができず、申し訳なさに涙が止まらなかったこともある。遺族にとって、この島に眠る骨はすべて肉親の骨と同じなのである。

山際ははじめ、軍手をはめて作業をしていた。しかしすぐに、素手で骨を拾うようになったという。

「軍手をしていると、いったん摑《つか》んだ骨が手から離れないんです」

火葬にした骨は表面がサラサラしているが、置き去りにされた遺体がそのまま風化した骨は、表面がべたついている。だから軍手にくっついてしまうのである。それはまるで、やっと本土から迎えに来てくれた人の手から、絶対に離れまいとしているかのようだったという。

壕内の遺骨には、白いものと黒いものがあると山際は説明する。白い骨は銃弾や爆弾にやられたり衰弱したりして亡《な》くなった人のもの、そして黒い骨は火炎放射器で焼かれて亡くなった人のものである、と。

米軍が使用した火炎放射器の威力の凄《すさ》まじさは、当時の写真やフィルムを見るとよくわかる。数十メートル離れたところから、あたり一面を火の海にすることができるのである。海水とガソリンを壕内に流し込んで火をつけ、中にいる兵士を焼き殺すこともあった。

山際らが収容した一三五柱の遺骨を荼毘《だび》に付したのは、島の北端にある海岸である。

「こんな遠い南の果てで亡くなったんだから、せめて少しでも本土に近いところで焼いてあげたいということになりましてね」

燃える火を、参加者全員で一晩中見守った。骨は白木の箱に入れて本土に持ち帰り、残った遺灰は丁寧に手でかき集めて海に流した。

「北へ向う海流に乗せてやりたかった。故郷に帰れよォー、とみんなして叫びながら、長いこと海岸にたたずんでいました」

戦闘のあった場所やいくつかの壕を回った後、島の南端にある摺鉢《すりばち》山に向った。山頂に至る道は、かつて米軍が火炎放射器で焼き払いながら登った道である。

摺鉢山の標高はわずか一六九メートルだが、ほかに山も高地もないため、山頂に立つと島全体が一望できる。山頂といっても、それは休火山であるこの山の、大きくへこんだ火口の北側のへりに当たる部分で、サッカー場くらいの広さしかない。

Ｄデイ・プラス４（上陸日の四日後）、米海兵隊の兵士たちがここに星条旗を立て、その写真は「もっとも美しい戦争写真」として有名になった。その旗のポールの台座があった場所のすぐ手前に、米軍の戦勝記念碑が建っている。アメリカ占領時代に作られたものである。

星条旗をかたどった銅板と、旗を立てる海兵隊員たちのレリーフがはめ込まれた白い台座。その左右に、おそらくＶｉｃｔｏｒｙ（勝利）の意味であろう、一対のＶ字形のオブジェが配されている。

そのＶ字の部分に、小さな金属片のようなものがたくさん付着しているのが見えた。近づいてよく見ると、楕円《だえん》形のプレートに鎖を通したペンダント状のものだった。それが何百個もぶら下がっている。

小さな文字と数字が刻印されたそのプレートは、海兵隊員の認識票であった。認識票とは、戦死したとき身元がわかるよう身分や氏名を記した金属札のことである。戦場において、あるいは訓練や演習のときにも、肌身離さず身につけておく。現在、硫黄島に訓練にやって来る海兵隊員の多くが、帰り際《ぎわ》、記念に自分の認識票を残していくのだという。六〇年前にこの地で戦った先輩たちに連なる存在であることは、すべての海兵隊員にとって誇りであり、硫黄島は今も彼らの〝聖地〟なのである。

戦場でのたぐいまれな勇気を讃《たた》える名誉勲章は、第二次世界大戦の四年間を通して、海兵隊員に合計八四個与えられている。そのうち、硫黄島の戦闘で授与されたものは二七個。わずか三六日間の戦いだったにもかかわらず、四年間に与えられた名誉勲章の三分の一近くを占めている。硫黄島が歴史に残る戦場だったことがわかる数字である。

おびただしい数の認識票に埋もれた戦勝記念碑には、ニミッツ大将のこんな言葉が刻まれている。

Among the Americans who served on IWO JIMA, uncommon valor was a common

virtue.
（硫黄島で戦ったアメリカ兵の間では、並はずれた勇気がごく普通の美徳であった）

摺鉢山で星条旗を掲げた六人の兵士のうち、三人はその後の戦闘で命を落とした。残る三人は英雄として祖国に凱旋《がいせん》し、戦争費用の調達を目的とした戦時国債のキャンペーンに駆り出されている。

全国をツアーして回った彼らを各地で熱狂的に迎えたアメリカ国民は、ひと夏の間に総額二六三億ドルもの国債を買った。これは一九四六年の政府予算総額の約半分に当たる額である。

さらに、星条旗を立てる兵士たちの写真を使った記念切手が発売された。硫黄島の戦いが終わってまだ四か月しかたっていない七月のことである。生きている人間が切手になったのは、アメリカ史上初めてのことだった。その三セント切手は一億五〇〇〇万枚を売り切ったという。

一九五四年、あの写真は世界一背の高いブロンズ像となり、首都ワシントンのアーリントン国立共同墓地の横に建立《こんりゅう》された。費用の八五万ドルは全額、一般からの寄付でまかなわれた。

大きな犠牲で全米を騒然とさせ、それを乗り越えての勝利によって狂喜させた硫黄島は、今もアメリカ国民の記憶の中に深く刻まれている。だからこそ栗林は、「アメリカをもっとも苦しめた男」として、日本よりむしろアメリカで有名なのである。

二〇〇三年五月、ブッシュ米大統領はイラク戦争終結を宣言した演説の中で「(イラクでは)ノルマンディ作戦の大胆さと、硫黄島での高い勇気が示された」と兵士たちを讃えた。半世紀以上の歳月を経てなお、アメリカにとって硫黄島は、戦場における勇気と勝利の象徴であり続けている。

摺鉢山の山頂にはもちろん日本側が建てた記念碑もある。勝利を記念したアメリカとは違い、慰霊を目的としたものである。

黒い御影石《みかげいし》のどっしりした作り。各県から持ち寄った石で日本地図が描かれているのは、硫黄島で戦った日本兵の出身地がほぼ全国にわたるためであろう。

この島で戦ったほとんどの将兵が、職業軍人ではなく市井《しせい》の人々だった。農民、商店主、サラリーマン、教師、そして出陣学徒——それぞれの故郷で普通の生活を営んでいた人たちが召集され、この島に送られたのである。

地図の左上に「硫黄島戦歿者《せんぼっしゃ》顕彰碑」と彫られたこの碑は、島が日本に返還されてからちょうど一年後に建立された。

まるで両手でVサインをしているようなアメリカ側の碑と、全国から召集されたごく普通の庶民がここで散っていったことを表わした日本側の碑。両者が並ぶこの山頂に立つと、米軍が上陸してきた南海岸は、手を伸ばせば届きそうなくらい近くに見える。

その南海岸で「名誉の再会」と名づけられた記念式典が行われたのは、戦後四〇年を経た一九八五（昭和六〇）年のことである。

それは、かつて敵味方として戦った日米の元兵士たちが一堂に会するイベントだった。目的は、両国の戦死者をともに弔い平和を誓い合うこと。あれほど多くの犠牲者を出した凄惨《せいさん》な戦いの当事者同士が、戦場となった場所で合同式典を行う話は例がない。しかしそれは実際に行われたのである。遺族を含め、日米合わせて四〇〇名近くが参加した。

その日の様子を撮影したドキュメンタリービデオには、印象的なシーンが収められている。最初は日米それぞれのグループに分かれていた元兵士やその家族たちが、式典のプログラムが終わる頃、どちらからともなく歩み寄ったのである。最初はおずおずと、次第に力強く握手が交わされる。泣きながら肩を抱き合い、身振り手振りで語り合う。今でも脚に弾丸が入ったままだと言われて「きっとそれは俺の撃った弾だ」と冗談を飛ばす者もいれば、「顔に大やけどをして米軍に救出された。だから俺の鼻はメイド・イン・USAだ」と笑う元日本兵もいる。遺族たちもいつのまにか手を取り合っていた。

ただし、最初から何のこだわりもなく参加した者ばかりではない。ビデオには、かつて海兵隊第四師団に所属し上陸作戦に参加したエド・モラーニクが、硫黄島に向う飛行機の中で、

「私にとってこれは楽しい旅ではない。妻のこれまでの苦労を思うと……正直言って元日本兵とまともに顔を合わせるのは気が重いね」

と語る場面がある。

彼は硫黄島で顔に砲弾を受け、容貌《ようぼう》が完全に変わってしまった。戦争直後の顔写真では、鼻はほぼ失われ、目も口も大きくゆがんでいる。戦後、二二回におよぶ形成手術を受けてどうにか社会復帰を果たしたのだという。

しかし、帰路についたモラーニクの表情は行きとは違っていた。彼はインタヴュー

に答えて、

「四〇年前、私は日本人ではなく〝ジャップ〟を殺すためにこの島へやってきた。今、彼らと殺し合ったことを心から悔やんでいるよ」

と語った。

ノルマンディ上陸作戦の場合も、一九八四年に四〇周年の記念式典が行われている。しかしそれはあくまでも勝利を記念するものであり、アメリカ、イギリス、フランスなどの戦勝国だけで行われた。硫黄島で繰り広げられた光景は、やはり相当に稀有《けう》なものだといえるだろう。

日米合同の慰霊追悼式は、現在も毎年続けられている。かつて殺し合った者同士の再会と和解が、硫黄島に限って実現したのはなぜなのだろうか。ほとんど顔をつきあわせるようにして激烈な接近戦を演じ、互いに死力を尽くしたからこそ、歳月を経て許し合い理解し合う関係になれたということなのか。それは戦った当事者以外にはわからないことであろう。

この式典が行われた南海岸には記念碑が建てられた。そこには日本文と英文で、次のような文章が刻まれている。

硫黄島戦闘四十周年に当たり、曾《か》つての日米軍人は本日茲《ここ》に、平和と友好の裡《うち》に同じ砂浜の上に再会す。我々同志は死生を越えて、勇気と名誉とを以《もつ》て戦ったことを銘記すると共に、硫黄島での我々の犠牲を常に心に留め、且《か》つ決して之《こ》れを繰り返すことのないように祈る次第である。

昭和六十年二月十九日

米国海兵隊第三第四第五師団協会
硫黄島協会

第八章　兵士たちの手紙

栗林は留守宅へ便りを出すことと送金することを奨励していた。米軍上陸前、兵士たちは訓練と陣地構築のかたわら、せっせと家郷への手紙を綴《つづ》った。硫黄島《いおうとう》からは遺骨や遺品がほとんど還《かえ》らなかったため、多くの遺族が戦地からの便りを形代《かたしろ》として大切に保管している。

兵士たちもまた、家族からの手紙を心待ちにしていた。空襲の合間を縫って将兵と家族の心の絆《きずな》となる手紙を運んだのは、木更津《きさらづ》の一〇二三航空隊である。人員や機材、薬品や飲料水などと一緒に、かならず手紙の束が積み込まれた。輸送便は非武装であるため、危険を冒しての往復だった。家族からの手紙や同封してある写真は、どんなにか兵士たちの心の支えになったことだろう。

待望久しかりし正幸の写真たしかに受け取りました。差出人が正幸となって居るからこいつだなと、外《ほか》に二、三通も手紙は有ったが真先に開封したよ。大きくなったものだね。良くこんなに肥えらせて育ててくれた。有難う。礼を言う。今後共充分気を付けてくれ。

可愛《かわい》らしく賢こそうな面体《めんてい》にて、嬉《うれ》しくなって本部の戦友達に「オイ俺の二世の写真だ見てくれ」と持って廻ったよ。お世辞か知らぬが俺に良く似ていると言うたぜ。早速ボール紙を見付けて手頃の写真立を作り棚に飾って毎日眺めている。そのうち正幸に穴があくかも知れんぞ。

独立機関銃第二大隊の小林一作が妻に宛《あ》てた手紙である。一九四四（昭和一九）年一月五日に着いたもので、戦地からの一〇通目の便りだった。

文面にある「正幸」とは、出征後に生まれた長男である。小林は結局、写真以外で長男の顔を見ることなく戦死している。二八八名いた彼の大隊で生き残ったのは、本隊とは別行動をとっていた衛生部員一名のみだった。

正幸と邦子が仲良く一緒に撮《うつ》っている写真、十六日に受け取った。大きくなったね。開いて一目見てホウと我知らず感激の言葉が出たよ。憎らしいほど可愛らしいね。下士官殿や戦友達も俺にどこか似ている処《ところ》が有る、親子は争えないと言ってくれた。この前のようにニッコリ笑ったのも愛嬌《あいきょう》があって宜《よろ》しいし、またこの写真のようにキリッと口を引き締めた顔もなかなか利口そうだね。

　こんなお人形さんのように可愛らしい子供を可愛がってくれなくては、世界に可愛がるような子供はいないよ。俺がそう言うたと皆に言うてくれ。天幕の切布で袋を作り、常時、服の物入れに入れて肌身離さず抱いていて時折り出しては正幸と話をしている。


最後の便りとなったこの葉書を家族が受け取ったのは一九四五（昭和二〇）年二月一八日だった。その翌日、米軍が硫黄島に上陸している。

彼のように家族の写真を大切に身につけて戦いに臨んだ兵士は大勢いたに違いない。

一九五一（昭和二六）年から一九五二（昭和二七）年にかけて硫黄島で遺骨と遺品の収集を行った高野建設の安藤富治は、著書『あゝ硫黄島』の中で、手紙や写真を肌身離さぬまま朽ち果てた遺骨に出会った経験を書き残している。

　北部地区「天山《てんざん》」附近の洞窟《どうくつ》であった。家族の写真と手紙を胸ポケットに入れて、白骨と化している一体があった。手紙の間に挟まれて、三葉の写真があった。

血肉がしみて、母とも兄弟ともみられるかすかな映像であった。

この遺骨は宇都宮飛行学校出身の特別幹部候補生で、手紙は母親からのものだった。「わが子を思う優しい便りの字句でそれは埋められていた。さぞかしこの若い特幹生は、お母さんお母さんと、侘《わび》しい陣中の仮寝の夢に呼んだことであったろう」と安藤は書いている。

当時、特別幹部候補生には満年齢で一五歳から志願することができ、短期間の訓練で戦場に送り出された。この兵士は一六歳～一七歳だったと思われる。

硫黄島で戦った兵士の年代は幅広かった。戦争も末期で、若く壮健な兵士を集めることはすでに難しくなっていた。そのため妻子ある中年の兵士が多く、安藤は子供の写真を抱いた遺骨も発見している。

また、「栗林中将本部」附近の洞穴の奥深く、愛児の写真を胸に秘めて、悲しい最期《さいご》を遂げていた、子を持つ親もいた。腐食した衣服の切れはしが、痛ましい亡骸《なきがら》を包んで、手紙が死体の下に落ちていた。わずかに残った胸のポケットの写真に、愛児の姿がかすんでいた。たどたどしく綴られた父への手紙には、親指ほどの穴がところどころにあいている。

別の遺骨の近くからは、当時小学校二年生の子供が父親に宛てて書いた手紙が見つかったという。

遠い戦地にいるお父さん、お元気ですか。お父さんがいなくても、僕はちっとも淋《さび》しくありません。僕はうんと勉強して立派な人になります。お父さんがいる所は、お母さんから聞いて、本当に暖かくて良い所だと思いました。「バナナ」なんかも沢山なってるんだってね。パパイヤやパイナップルなどの珍しい果物が食べられるんでいいな。でもお父さんの所は、水が足りなくて困っていると、お母さんから聞きました。身体《からだ》に気をつけて、うんとがんばって下さい。どうか元気でご奉公して下さい。僕はお母さんと毎日神様に頼んでおります。

手紙を運んだ航空便は、戦場と家郷をつなぐ細い糸であった。それが断ち切られたのは、いよいよ情勢が緊迫し、米軍上陸近しと思われた二月一一日、紀元節の日である。

「本日をもって郵便止めとする」――その報を、兵士たちはどんな思いで聞いたのだろうか。

硫黄島で戦死した士官の未亡人から一冊のスクラップブックを託されたのは、二〇〇五（平成一七）年二月のことである。

持ち主は江川光枝、九二歳。山口県岩国市の自宅を訪ねて話を聞いた帰り際《ぎわ》に「もし参考になるようならお持ちください」と手渡されたのである。

夫の江川正治は、住友銀行松屋町支店（大阪市）の次長職にあった四四歳のときに召集されている。二〇代のとき陸軍の短期現役を経験しているため、少尉《しょうい》として戦地に赴いた。いわゆる召集将校であるが、四〇代での召集は戦況が逼迫《ひっぱく》してきたこの時期ならではのことであろう。

スクラップブックの表紙には「戦地から」とあった。硫黄島から届いた葉書を、戦後、一枚一枚貼《は》り付けたものだという。しかし開いてみると、最初のページにあったのは夫からの便りではなかった。

「この四通は、私と長男が夫に宛てて出した最後の便りです。届かずに戻ってきてしまったんです」

葉書の日付は一九四五（昭和二〇）年二月一一日と一二日。木更津郵便局の消印はそれぞれ一三日と一四日になっている。このとき硫黄島はすでに「郵便止め」となっていたのだが、留守宅の家族は知る由《よし》もない。

ついに届かなかった妻から夫への最後の便りは、八歳、六歳、四歳の三人の子供たちの様子を報告した後、次のように締めくくられている。

今も寝顔を見ながら、ああ私も仕合せだと思いました。こんな可愛い者を三人も与えられ本当に有難いと思います。きっときっと、喜んでいただくような良い子に育て上げましょう。毎日の様子、お目にかけたいようでございます。精々ハガキをかきましょう。

葉書を裏返すと、宛名の右肩に転居先不明の付箋《ふせん》が貼られ、「尋ネ得ズ」の文字が記されていた。ほかの三通も同様である。留守宅の家族にとって、これほど非情な四文字があるだろうか。

スクラップブックのページの余白に光枝の字で「戦地へ出した便りがこのときはもう届かず差し戻されてきた。不安はつのる」とある。これらの葉書が戻ってきたとき、夫がどこで戦っているのかさえ妻は知らなかった。

当時、将兵がどこへ送られたかを家族が知ることはなかった。戦地へ手紙を出す場合の宛先は、硫黄島の場合、「千葉県木更津郵便局気付」であり、そのあとに第百九師団をあらわす「膽《たん》」という文字符（一種の暗号名）と部隊名を記すことになっていた。届いた便りの文面から南方であることはわかっても、どこであるかはわからなかったのである。

それが硫黄島だったことを光枝が知ったのは、戦死公報を受け取ったときである。夫の出征から二年、終戦からは九か月が経《た》っていた。それまで彼女は、夫の生死さえ明らかでないまま、子供を抱えて敗戦直後の混乱期を生き抜かねばならなかった。

私が硫黄島の戦いについて調べていることを知り、「知人に硫黄島で夫を亡《な》くした女性がいる」と光枝に引き合わせてくれたのは三〇代の女性である。二人はともにクリスチャンで、同じ教会に通っていたことがあり、年齢は離れているが友人同士なのだという。

実際に会ってみて、光枝が孫のような年齢の相手と友人になれる女性だということがよくわかった。聡明《そうめい》でユーモアがあり、九〇代とは思えない生気にあふれている。記憶も確かで、突然の召集から戦死の知らせを受けるまでを、まるで昨日のことのように語ってくれた。

光枝から話を聞いたのは、潮騒《しおさい》の聞こえる居間だった。自宅から二分も歩けば浜辺に出る。おだやかな波が打ち寄せる瀬戸内の海である。

一九四六（昭和二一）年五月、彼女はこの海に白木の箱を投げ捨てた。本来なら遺骨が入っているべき箱であった。

「戦死公報が来たとき、遺骨を引き取りに来るようにと書いてあったんです。それで役所に行ったら、手数料と引き替えに白木の箱を渡されて。中を見たら遺骨なんか入っていなくて〝陸軍中尉　江川正治　硫黄島にて戦死〟と書いた木の位牌《いはい》だけ。なんだか無性に悔しくて、帰り道に〝こんなもの！〟って海に投げ捨てたんです」

家に帰りついた彼女の手には位牌だけが握られていた。それが何であれ、夫の名前が記されたものを捨てることはできなかった。

江川正治が召集を受けたのは、一九四四（昭和一九）年六月二六日である。このころ米軍はすでにサイパンに上陸していた。

結婚前に八年間アメリカの支店で働き、アメリカ人の知己も多かった正治は、冷静に戦況を見ていたようだ。「負けいくさに征《ゆ》くのはいやだなあ」とつぶやいたのを光枝は覚えている。すぐに思い直したように「でも僕は要領がいい方だから、きっと生きて還るよ」と言った。

硫黄島からの便りはすべて葉書で、全部で二八通ある。そのうち一三通が子供たちに宛てたものである。

みなさん そろって おげんきですか。おとうさまも せっせと まいにち へいたいさんの おつとめを しています。

ここには めじろという ことりが たくさんいます。うぐいすに にた ことりで めのふちが しろいから めじろといいます。

だいぶんまえに へいたいさんが うまれたばかりの あかちゃんめじろを つかまえて かごにいれ きの したえだへ つりさげました。

まいにち あさから ばんまで おやどりが おいしいたべものを もってやってきて かごのそとから たべさせておりましたが あかちゃんは みるみる

おおきくなり　おやについて　なきまねています。
三にんも　おかあさまの　おっしゃることを　よくまもって　めじろのこども
に　まけないように　おりこうに　ならねばなりませんね。
　　　　　　　　　　　　　　　　　　　　　　へいたいの　おとうさま

硫黄島にはメジロがたくさんおり、その鳴き声は兵士たちの心を慰めた。人間を怖《おそ》れず近寄ってくる姿は、この島が少し前までどんなに平和な土地だったかを示していた。

江川の手紙の文面を読んで、栗林が次女たか子に宛てた手紙を思い出した。そこにも小鳥の話が出てくる。栗林が描写したのはメジロではなくヒヨコの様子だった。栗林は少しでも食糧事情をよくしようと、卵を採るための鶏を飼っていた。

たこちゃん！　お父さんのところの一羽のお母さんどりは今日ヒヨコを四羽生ま《ママ》せましたよ。二十日程前に当番の兵隊さんが卵を七つあたためさせたのですが、今日四つだけ出てピヨピヨないています。外《ほか》にとりは十羽おりますが、ただ虫を取って食べているだけで、とても大きくなりました。

（昭和一九年一一月二六日付　次女・たか子あて）

たこちゃん、この間生れたヒヨコは四羽でした。〈中略〉四羽のヒヨコはとても元気で、毎日お母さんどりに連れられて遊んでいますが、しじゅう虫をとって食べています。生れて三日目くらいで、なかま同志でけんかもします。

（昭和一九年一二月二三日付　次女・たか子あて）

この「四羽のヒヨコ」のことを、栗林はたか子に宛てた最後の手紙の中で三たび話題にしている。江川と同様、親鳥とひな鳥のほほえましい姿に、留守宅の妻と子供たちを重ねたのであろう。

ちょうど二月ほど前に生れた四羽のヒヨコはとても大きくなりましたよ。毎日お母さんどりにつれられて「エサ」を拾って食べていますが、お父さんがこの頃苦ろうして作った畑をあらして困りますよ。

（昭和二〇年一月二八日付　次女・たか子あて）

江川も栗林も、幼い者たちに心配させぬよう、島の過酷な状況を伝えることは避け、珍しいもの、楽しいことを探して書き送った。他の父親たちもおそらく同様であったろう。

検閲のため、書ける内容に制限があったせいもあるだろうが、それだけではないはずだ。可愛《かわい》らしいものや美しいものに目を向け、それを言葉にすることは、彼ら自身が戦地での日々を生きるために必要なことでもあったに違いない。

妻に宛てた手紙で江川は、

私の隊では、朝、点呼の時、静かな清い朝風の中で、私が勅諭を一カ条、逐次奉誦《ほうしょう》して聞かせます。又、宮城と故郷に遥拝《ようはい》並びに挨拶《あいさつ》させます。

夕方は毎晩、美しい南の空と椰子《やし》を背景に集めて点呼、引きつづき朝誓った五カ条を逐一反省する時間を与えたのち、小隊長自らリードして「海行かば」を斉唱します。この斉唱が、近くの病室に病を養う兵隊にかすかにひびき、静寂な気分になるとは軍医の話です。

と記している。

四四歳の江川は、小隊長として慣れぬ軍務を懸命にこなしていた。銀行員生活から一転して、二〇数年ぶりの軍隊生活である。体力的にも精神的にもきついものであったろう。

静かな清い朝風、美しい南の空と椰子、病室にかすかに響く「海行かば」の斉唱――殺伐たる戦地にあって、自然や周囲の人々との交流から、彼が少しでも美しいものを感じ取ろうとしていたことが伝わってくる。

しかし、目を楽しませ心を安らがせてくれるものがそうたくさんあるはずはない。そんな状況にある夫を光枝はおもんばかり、子供たちの写真だけではなく、絵や作文などを頻繁に送った。江川は毎回、その感想を書き送っている。

　おてがみは　どれも　よくできました。信子（筆者注・四歳の次女）のえも　すこしわかります。宏子《ひろこ》（六歳の長女）のハゴイタとハネ、チョウチンは　ほんとうに　じょうずです。ウサギもまだ　わすれずに　かいているのね。
　純（八歳の長男）のキカンシャは　ほんとうに　たいしたものです。いままでかいた　きしゃのうちで　いちばんすばらしいできで　おとうさんを　びっくりさせました。

戦地での暮らしを支えたのは、大阪の自宅で過ごした父として夫としての日常の記憶であった。江川は妻にこう書く。

夕方ホッとした時は決まって、子供達が今頃お腹《なか》をペコペコさして盛んにかき込む様子など嬉《うれ》しく想像したりする。殊《こと》に信の顔と向かい合っているようで、声をかけたい衝動に駆られる事がある。

純や宏の字を出しては、その度に字が上手に見えるなど、どこまでも親馬鹿《ばか》だとは思うが、手許《てもと》にあるだけで、なんとのう心豊かである。

子供たちの絵や文字を取り出して眺め、心を慰める日々は長くは続かなかった。郵便止めの八日後には米軍が上陸、激しい戦闘が始まった。夫がいつどこで、どのような最期《さいご》を遂げたのか。それを知る術《すべ》を妻は永遠に持たない。江川のいた大隊は全員が戦死したのである。

二人が結婚したのは、夫三六歳、妻二五歳のときだった。

夫は八年間のアメリカ赴任から戻ったばかり。妻は、自由学園の創立者で、婦人雑誌の草分けである『婦人之友』を発刊した羽仁《はに》もと子に共鳴、彼女が作った生活改善のための組織「友の会」のリーダーを務めていた。

当時としては遅い結婚で、光枝は「〝いきおくれ〟と〝もらいおくれ〟だね、って二人で笑い合いました」と当時を懐《なつ》かしむ。

喧嘩《けんか》したことは一度もなかったという。夫はどんな人だったかと尋ねると「そりゃあね、褒めない人はいないくらい、いい人でしたよ」という答えが返ってきた。

「頭がよくてやさしくて、私にはもったいない、よくできた人でした。背が高くて、みめもよかったですしねえ」

出征の日、隣組の人たちの万歳三唱の声が妻には耐えがたかった。「ありがとうございます」と言うや家に駆け込み、玄関の戸を後ろ手にぴしゃりと閉めて泣いた。

すでにその時点で夫は自分たち家族のものではなく、お国のために働く〝兵隊さん〟だった。駅まで送っていく人々の足音、そして夫を乗せた電車が発する警笛を、虚《むな》しい気持で妻は聞いた。

光枝から渡されたスクラップブックには、大学ノートが挟んであった。開くと、万年筆で書かれた端正な文字が並んでいる。夫から来た便りを、戦後になってから一通一通書き写したのだという。

「子供たちが少し大きくなったら読ませようと思って……。ほら、葉書の文字はとても細かくて、読みにくいでしょう」

確かにどの葉書も、びっしりと小さな文字で埋まっている。しかも達筆なので子供には読むのが難しいだろう。

しかし、大学ノートは一冊だけではなく二冊あった。もう一冊も、同じように葉書の文面がそのまま書き写してある。彼女はまったく同じ作業を二度行ったことになる。

なぜ二冊も、と尋ねようとして思いとどまった。光枝は戦後、三人の子供と老いた義父、身体の不自由な義兄を抱えて働きづめに働いたという。

家族が寝静まった後、夫の便りを一心に書き写す姿が見えるような気がした。遺《のこ》された言葉を反芻《はんすう》し、繰り返し胸に収めることで、彼女は何とか日々を持ちこたえていたのではないだろうか。

出征してから初めての手紙で、夫は八年あまりの結婚生活について、

凡庸、気むずかしき夫に仕えて真に内助の誠を致し、また子供等にとりては、
こよなき母として精進してもらい、今さら礼の述べようもない。

と感謝の言葉を綴《つづ》っている。続けて、

平素、折りにふれ事に当たり、もっと謝意表明の手段もありしならんに、一概
に気持さえあらばと、いつも独り合点《がてん》にて、これといって労を犒《ねぎら》うことをせざり
し事、何とのう心残る次第なるも、万事悪《あ》しからず許してもらいたい。

とある。

「きっと生きて還《かえ》るよ」と言い残して出征した夫だったが、やはりこれは遺書として書き記したものであろう。

死を覚悟して綴った妻へのメッセージは「健闘を祈る」という言葉で結ばれていた。万感を込めて後事を託した夫の言葉に応《こた》え、光枝は戦後の六〇年を、まさに「健闘」して生き抜いた。

あの戦争で夫を亡くしたすべての妻がそうであったように。

硫黄島で書かれた若い兵士の遺書を目にしたのは、江川光枝と会った数日後のことだった。硫黄島協会の会報に、実物のコピーが掲載されていたのである。

冒頭にはっきり「遺書」と記されており、栗林や江川が家族に送ったような〝遺書のつもりで書かれた手紙〟とは異なる。体裁も遺書にふさわしく、罫《けい》のない白い紙に、几帳面《きちょうめん》な毛筆の文字がきっちりと並んでいる。まるで習字の教科書のような楷書《かいしょ》の文字に、栗林や江川とはまた違った若い覚悟が滲《にじ》んでいるようで、思わずひきつけられた。

硫黄島協会にはしばしば、米兵が硫黄島から持ち帰った日本兵の遺品の照会がある。軍隊手帳や日記、寄せ書きのある日章旗、家族の写真などである。これまで多くの遺品が遺族のもとに返還されている。

「心当たりの方を探しています」としてこの遺書が掲載されたのは、二〇〇四（平成一六）年三月発行の会報である。前年の九月にアメリカからコピーが送られてきたものだという。

遺書

陛下の股肱《ここう》として生を享《う》け　今此《こ》の戦の庭に於《おい》て屍《しかばね》を晒《さら》すは　もとより覚悟の上でした。軍人の本望であります。

欣喜従容《きんきしようよう》として死に赴きます。只《ただ》　満足に御奉公出来得なかったのが何より慙《ざん》愧《き》に堪《た》えません。

二十有余年来　父母上様には多大の御苦労御心配を御掛け致し　温《あたたか》い御加護の下に今此《こ》の五尺に余る立派なる体に育て上げて下さいましたが　今何ら尽くす処《ところ》知らず　甚《はなは》だ申訳ありません。只　厚く感謝する外《ほか》御座いません。

この後、貯金が二〇〇円あるのでお国のために使ってほしいことや、遺品の処理の依頼、親類や近所の人たちへの挨拶、また故郷の村の発展を祈る言葉などが書かれている。出征のときの様子なども記されており、事前に認《したた》めて持参したのではなく、硫黄島で書かれたものと思われる。

終りに父母上様　虎雄　ケイ　桊造　糺　オタカ　季治　兄姉上様、辰巳　文

子 タツ子殿、何時《いつ》までも御元気でお過ごし下さい。父母上様には殊《こと》に老年の事《こと》故《ゆえ》 御体を大事にして下さい。
私が心残りする事は 父母上様が今迄《いままで》せっせと一生懸命に御働きになって御作りになった あの新しい立派な家を見られなかったのが 今考えて心残りするだけです。外にはなにもありません。

家族の名前をひとりひとり書き記しながら、この若い軍人の胸に去来したものは何であったろう。遺書の前半はいかにも軍人らしい形式的な硬い文章だが、六人の兄姉と三人の弟妹の名前を並べてから後の部分には、二〇代の青年らしい心の揺れがあらわれている。

彼がこの文章を書き上げたとき、それを肉親のもとへ運んでくれる飛行機はすでになかったのであろう。遺書を身につけたまま、彼は戦ったのだろうか。その肉体が亡《ほろ》びた後も、彼の綴った文字は硫黄島の土と化すことなく、六〇年の歳月を超えたことになる。

肉親は名乗り出ていない。いまだ届かぬままの遺書は、次のように締めくくられている。

まだ書くことはある様ですが胸が込上《こみあ》げて思い出しません。
では御元気で。

達夫

父母上様

第九章　戦闘

米軍は、摺鉢山《すりばち》に〝ホット・ロックス（熱い岩）〟という暗号名をつけていた。ところどころ蒸気を吹き上げるこの山が休火山であることは知られていたが、自軍による凄《すさ》まじい爆撃が火山活動を誘発し、噴火を起こすのではないかと半ば本気で怖《おそ》れている海兵隊員も少なくなかった。

このホット・ロックスの頂上に星条旗が翻《ひるがえ》ったのは、Dデイ・プラス4（二月二三日）午前一〇時三一分のことである。旗は縦七〇センチ、横一三五センチと小ぶりなものだったが、狭い島内ではほとんどの海兵隊員がこれを目にすることができた。島の象徴ともいえる山を征服した感激に、ある者は歓声を上げ、ある者は涙を流し、ある者はヘルメットを振り回して口笛を吹いた。海上の艦船は一斉に汽笛を鳴らした。

米兵たちが熱狂したのは、上陸からこの日までの自軍の損害があまりにも大きかったからだ。予想外の死傷者を出したDデイの後、千鳥飛行場を占領して摺鉢山と島の北東部の日本軍主陣地を分断したものの、その後は日本軍の頑強な抵抗にあって一日に五〇～五〇〇メートルしか前進できない状況が続いた。多くの一線指揮官が戦死し、上陸海岸から目と鼻の先にあるように見えた摺鉢山を包囲できたのは、Dデイ・プラス3になってからだった。

ところで、新聞の一面を飾り、のちに切手や銅像となった六人の兵士の写真はこのとき写されたものではない。山頂での国旗掲揚は、実は二度行われている。

一度目の国旗掲揚の直後、この旗を取り外して記念に持ち帰るべきだと考えた者がいた。頂上に登った兵士たちが所属していた第五海兵師団第二十八聯隊《れんたい》第二大隊のチャンドラー・W・ジョンソン中佐である。彼は、これから摺鉢山に登ろうとしていた兵士の一人に「頂上に着いたらこれを掲げるように」と、上陸の際に持ってきた星条旗を渡した張本人だった。当然、旗は自分たちの大隊のものだと考えたのである。

記念すべき本物の旗は早めに確保しておき、代りの旗を立てればいい。どうせなら、もっと大きい旗がいいんじゃないか。そう考えたジョンソン中佐は、別の旗を探して山頂に届けさせた。新しい旗は、縦一四〇センチ、横二四五センチあった。

こうして最初の旗は降ろされ、代りの旗があらためて掲げられた。AP通信のカメラマン、ジョー・ローゼンソールが撮った有名な写真は、この二度目の掲揚の瞬間をとらえたものだ。海兵隊の報道班員が撮った最初の掲揚写真よりも早くグアムに送られ、また構図や光線の具合などが素晴しかったことから、こちらの写真が大々的に新聞を飾ったのである。

人物の配置から旗の翻り具合まで、あまりにもぴたりと決まっていたため、カメラマンがポーズをつけたのではないかという説が流れたこともあったが、遅れて現場に着いたローゼンソールがたまたま二度目の掲揚に立ち会い、夢中でシャッターを切ったというのが真相だという。

日本でも、この歴史的な写真を目にしたことのある人は多いに違いない。しかし、星条旗のポール、つまり旗竿《はたざお》に使われたものが何であったのかを知る人は、ほとんどいないはずだ。

ジョンソン中佐は、摺鉢山に登る部下に旗を渡したが、掲げるためのポールは渡さなかった。最初の掲揚のときも二度目の掲揚のときも、海兵隊員は山頂でそれを〝調達〟したのである。旗を結びつけるのにうってつけのものを見つけたのは、ロバート・リーダー伍長《ごちょう》とレオ・J・ロゼク一等兵だった。山頂付近の瓦礫《がれき》の中に、鉄製の細いパイプが落ちていたのだ。

それは、日本軍が雨水を集めて利用するために作った貯水槽に取り付けられていたものだった。米軍の空爆によって貯水槽は完全に破壊され、パイプにもいくつか穴が開いていた。

海兵隊員たちにとってそのパイプは、瓦礫の中から拾ったガラクタでしかなかった。しかし日本兵たちにとっては、それ以上の何ものかであった。水のない苦しみを経験した者でなければ、冷たい水が飲みたいと言いながら死んだ戦友を看取《みと》った者でなければ、その薄汚れたパイプの価値はわからなかったはずだ。

米兵たちは、缶詰の水を飲料水としていた。ある日本兵は、戦闘のさなかに「アメリカ兵は缶詰の水を飲んでいるという噂《うわさ》を聞いたが、いったいそんなものがこの世の中にあるのだろうか」と日記に書いた。もちろんそれはあった。米軍の揚陸艇には、一八リットルの水が入った缶が、一隻《せき》につき六〇〇〇本積み込まれていたのだ。揚陸艇は計七三隻。海兵隊員たちは硫黄島《いおうとう》を地獄に例えたが、少なくとも彼らが渇きに苦しむことはなかった。

アメリカの勝利と占領の宣言である、硫黄島の星条旗。それが結びつけられたのは、二万余の日本兵にとって生命をつなぐ道具だったものの残骸《ざんがい》であった。この奇妙で残酷な取り合わせは、比類なく完璧《かんぺき》な写真の中に定着し、今なお全世界の人々の目にさらされ続けている。

摺鉢山の頂上に最初の星条旗が立てられた直後、数人の男たちがモーターボートで硫黄島に上陸した。降り立ったのは、米軍がグリーンビーチと名づけた、南海岸で摺鉢山にもっとも近いエリアの一角である。

四日前、海兵隊員たちの足をもつれさせ、戦車のキャタピラを使い物にならなくした黒い砂の上に、ふたりの男が並んで立った。そこからは、摺鉢山の頂上に翻る星条旗がはっきりと見えた。

カーキ色の軍服の上にグレーのセーターをはおった男が、横に立つ男にこう話しかけた。

「ホーランド、これで海兵隊は今後五〇〇年間安泰だな」

ホーランドとは、スミス海兵隊中将のファースト・ネームである。これが最後の戦闘指揮となる老いた将軍は、「マイ・マリーンズ」が成し遂げた快挙と、そこに至るまでの犠牲を思って目を潤《うる》ませた。

セーター姿の男はジェームズ・V・フォレスタル。米国海軍長官である。彼は海兵隊の硫黄島上陸作戦を自分の目で見ようと、はるばる太平洋までやってきていた。旗艦エルドラド号に乗り込み、これまでずっと洋上から作戦の進捗《しんちょく》状況を見守っていた。

そしてこの日、長官の身に危険が及ぶのを怖れる側近たちの反対を押し切って、上陸を敢行したのである。七か月前にはノルマンディの海岸にも自分の足で立ったフォレスタル長官は、硫黄島の橋頭堡《きょうとうほ》（上陸作戦の拠点）を視察すると言い張った。

スミス中将が指揮していたのは海兵隊の遠征部隊である。指揮系統でいうと、その上に統合遠征軍の指揮官であるリッチモンド・K・ターナー海軍中将がおり、その上に第五艦隊司令長官のレイモンド・A・スプルーアンス大将、そのまた上に太平洋方面最高指揮官のニミッツ大将、ということになる。海軍長官のフォレスタルは、さらに高位にある海軍のトップである。

スミス中将は、まさか海軍長官を一人で上陸させるわけにもいかず、フォレスタルの側近らとともに自分も硫黄島の土を踏んだ。おかげで歴史的な瞬間を目にすることができたのだった。

フォレスタル長官がスミス中将に「これで五〇〇年間安泰」と言ったのには理由がある。海兵隊は海軍の付け足しのように扱われ、創設以来、不要論が持ち上がることもしばしばだったのである。

海兵隊はもともと海軍の付属部隊として組織され、警備や狙撃《そげき》を担当する少人数の部隊だった。その役割が見直されたのは第一次大戦後、一九二〇年代のことだ。近い将来、太平洋の島々が戦場になる可能性があると考えた米軍は、上陸作戦を専門に行う精鋭部隊が必要だと判断し、その役割を海兵隊に担《にな》わせることにした。真珠湾攻撃のはるか以前、日本の軍部に対米戦略など皆無だった頃から、米軍は太平洋で日本と戦うシミュレーションを行っていたのだ。

こうして海兵隊は、米本土から遠く離れた場所で独自の水陸両用作戦を遂行できる軍隊として次第に増強された。そして米軍が予想した通り、太平洋の島々が戦場となる日がやってきた。海兵隊はガダルカナル、タラワ、ペリリュー、サイパン、グアムなどで日本軍を相手に上陸作戦を敢行することになる。

そしてここ硫黄島で、米軍が初めて日本の国土に星条旗を立てるという歴史的な瞬間が訪れた。それを行ったのは他ならぬ海兵隊であり、このとき海兵隊はみずからの存在意義を高らかに宣言したのだった。

敵前上陸を敢行し後続部隊のための陣地確保を行う海兵隊は、敵と最初に接する部隊であり、危険に身をさらす確率が高い。しかし、陸海空の三軍と同じレベルの敬意が払われることはなく、荒くれ者の集団と見なされることが多かった。その危険で過酷な任務に見合う評価を、一本の星条旗が今後五〇〇年間にわたって保証してくれる——そうフォレスタル長官は請け合ったのである。

翌二四日、フォレスタル長官を乗せた艦艇はグアムに向けて出発した。彼は、見るべきものはすでに見たと思っていた。上陸は完了し、島の要衝である摺鉢山もすでに確保されていたからだ。

しかし、戦いは終わったわけではなかった。

フォレスタル長官も、星条旗掲揚の写真に熱狂したアメリカ国民も知る由《よし》もなかったが、硫黄島を完全に占領するまでに、海兵隊はさらに三〇日を要することになる。それはまさに血みどろの三〇日間となった。

あの歴史的な瞬間に摺鉢山の頂上にいた四〇人中、自分の足で歩いて帰りの船に乗り込んだ者はわずか四人。残りの三六人のうち、運のいいものは担架に乗せられて島を去り、運の悪い者は死体となって島に埋葬されることになる。

米軍上陸から四日で摺鉢山が陥落したことは、栗林にとって痛手だった。

最終的な決戦を行うのは島の中央から北部にかけての陣地であり、いずれこの山を失うのは仕方がないと思っていた。しかし摺鉢山の守備隊には、せめて一〇日は持ちこたえて敵を釘付《くぎづ》けにしてほしかったのである。

摺鉢山が早期に落ちた最大の理由は、元山地区（島の中央部）とをつなぐ地下道の完成が間に合わなかったことだ。米軍上陸までに日本軍が作り上げた地下道は全長一八キロメートルに及んだが、摺鉢山と元山地区の間はまだつながっていなかった。そのため、両者の間にある千鳥が原を米軍が占拠すると、摺鉢山は孤立してしまった。

もし摺鉢山―元山地区間の地下道が完成していれば、地上を通ることなく両方の陣地を行き来することができ、連絡が容易になるのはもちろん、兵員や武器弾薬の移動もできるはずだった。地下道を構築するための資材がもっとあればと、栗林は臍《ほぞ》を嚙《か》んだに違いない。

南海岸から上陸した米軍は、左手方向に進んで摺鉢山を攻略する一方で、別の部隊が右手、つまり北東に向って攻めのぼった。対する日本軍は、主陣地第一線、主陣地第二線、そして複郭陣地と、三層にわたって構築した陣地でこれを迎え撃った。火砲は地表の凹凸や地下陣地を利用して巧みに隠蔽《いんぺい》され、砲兵もまた地下に潜って敵を待ち受けた。

米軍がもっとも手に入れたがっていたのは、島の中央にある元山飛行場である。日本軍の主陣地第一線と主陣地第二線は、この元山飛行場をちょうど挟む形で手前と後ろに配置されていた。

元山飛行場を目指して進んでいた海兵隊第四師団および第五師団は、日本軍の頑強な抵抗に遭って多くの犠牲を出した。そこで米軍は、摺鉢山を落とした翌日の二月二四日、予備師団である第三師団の投入に踏み切る。米軍の投入総兵力は、海兵三個師団基幹約六万一〇〇〇人にふくれあがり、この日から四日間にわたる元山飛行場付近での戦闘は熾烈《しれつ》なものとなった。

米軍の戦い方は、あくまでも力にものを言わせた正面突破だった。

戦車を先頭に、砲爆撃部隊がロケット砲を乱射しながら北進する。その後に続く歩兵部隊が、トーチカや地下壕《ちかごう》を火炎放射器や手榴弾《しゅりゅうだん》、高性能爆薬でひとつひとつ潰《つぶ》していく。市丸海軍司令官が大本営に宛《あ》てた戦訓電報の中に「米軍は前面を清野と化して初めて前進。歩兵の前進時速約十メートル。さながら〝害虫駆除〟のごとき態度で戦闘す」とある通りである。

対する日本軍は、巧妙に偽装した銃眼から砲火を浴びせ、さらに迫撃砲や噴進砲を集中的に発射した。米軍の圧倒的な火力によって劣勢となると、いったん地下陣地へ潜り、縦横に張り巡らされた地下道を通って思いがけない位置から攻撃を再開する。地下道には有線電話が通じており、部隊間で連絡を取り合いながらの戦闘が可能だった。

これこそが、栗林が考え抜き、八か月にわたって準備してきた戦い方である。

兵士たちが血と汗を注いで掘った地下壕と地下道は、出撃前の待機所であり、敵の砲火から身を隠す退避所でもあった。同時に、戦闘中も絶えず行われた空襲から身を守る生活の場となり、食糧・弾薬の貯蔵庫となった。この狭い島の中で、敵よりもはるかに劣る装備と火力、兵員で戦うにはやはりこの方法しかなかったと、将兵たちはあらためて実感したはずだ。

ニミッツ大将は、栗林が硫黄島を「太平洋においてもっとも難攻不落な八平方マイルの島要塞《ようさい》」にしたと評価し、「日本軍の巧妙に構築された拠点は、至近距離まで戦車の支援を受けた徒歩部隊によって、一つずつ入念に奪取していくよりほかはなかった」と述べている（『ニミッツの太平洋海戦史』）。

日本兵は、破甲爆雷（戦車の装甲を破壊する爆弾）を抱いて穴から飛び出し、戦車に体当たりして爆発炎上させることもあった。戦車に対する肉薄攻撃では本来、爆薬を戦車のキャタピラに投げ込み、自身は退避する。しかし実戦においては体当たりを敢行することが多かった。そのほうが確実に戦果をあげられるからだ。もちろん自分の身体《からだ》も爆薬とともに砕け散る。空における特攻隊と同じことが地上において行われたのである。

スミス中将は、栗林が仕掛けた類例のない地上対地下の激烈な接近戦の特徴を「洞《どう》窟《くつ》、銃座、壕の一つ一つが独立した戦闘であって、日米両軍が死ぬまで白兵戦を演じた」ことにあるとしている（「米国海兵隊と太平洋進撃戦」）。

死力を尽くして戦った日本軍だったが、兵力を増強して虱潰《しらみつぶ》しに砲撃を加えてくる米軍によって、二月二六日までに元山飛行場を喪失する。二七日の夕方までに日本軍の兵力は五〇パーセントに低下、火砲・弾薬は三分の一に減少していた。特に野砲と中迫撃砲の弾薬は当初の保有量の約一〇パーセントにまで激減した。

米軍の火力に対し、火力でもって応戦できる状況は、ここにおいて終わったといっていい。戦闘らしい戦闘は以後望めず、この先も戦おうとするなら、それは死よりも苦しい出血持久戦となる。しかし栗林は全将兵に対し、死を急ぐことを許さなかった。潔《いさぎよ》い死を死ぬのではなく、もっとも苦しい生を生きよ――そう兵士たちに命じることが、極限の戦場の総指揮官たる栗林の役割なのであった。

硫黄島で負傷し米軍の捕虜となった大越晴則は、サンフランシスコ、シカゴ、ハワイなどの捕虜収容所を経て一九四七（昭和二二）年一月に復員した。海軍特別年少兵だった彼は、硫黄島で戦ったとき、まだ一七歳だった。捕虜としても最も若かったが〝イオージマ・ソルジャー〟であることが知れると、どの収容所でも米軍人から一目置かれた。大越は言う。

「〝カミカゼ・ソルジャー〟と〝イオージマ・ソルジャー〟は特別だ——ある米軍人からそう言われました」

やはり捕虜となった石井周治は、サンフランシスコの収容所での経験を次のように回想している。


ある日のことであった。ガード（筆者注・捕虜の監視役）の一人が、

「君達は一体どこで捕虜になったのか」

と聞くので、

「硫黄島で……」

と答えると、ガードは一瞬ハッとするように顔色を変えて銃を持ち直した。われわれの方が逆にびっくりした。

（『硫黄島に生きる』より）


硫黄島で戦った日本兵たちが捕虜収容所で浴びたのは、怖れと敬意が入り交じった

視線であった。彼らの修羅のごとき戦いぶりは、米軍人なら知らぬ者はなかったのである。

ただし、年齢や体力、兵隊としての経験などからいえば、硫黄島守備隊は決して条件に恵まれていたわけではない。海兵隊が歴戦の将校と二〇歳前後の士気旺盛《おうせい》な志願兵で構成されていたのに対し、日本軍は応召兵が多かった。また、まとまった兵力といえるのは歩兵第百四十五聯隊《れんたい》と戦車第二十六聯隊くらいで、その他は独立した歩兵大隊や砲兵大隊、付属部隊などであった。

しかし硫黄島の兵士たちは、陣地構築で体力を激しく消耗しながらも訓練を怠らず、みずからを鍛えあげていった。何よりも、日本の国土である硫黄島を何としても守り抜き、内地への空襲、そして米軍の本土侵攻を防ごうという気迫が、彼らを精鋭に仕立て上げたのであろう。

訓練において、栗林はきわめて実践的な指導を行った。栗林が作成・配布した「膽《たん》兵の戦闘心得」（膽は師団につけられた文字符で一種の暗号名）を全文引用してみる。

〈戦闘準備〉

一　十倍の敵打ちのめす堅陣とせよ　一刻惜んで空襲中も戦闘中も

二　八方より襲ふも撃てる砦《とりで》とせよ　火網に隙間《すきま》を作らずに　戦友斃《たお》れても

三　陣地には糧《かて》と水とを蓄へよ　烈《はげ》しき砲爆、補給は絶える　それも覚悟で準備を急げ

〈防禦《ぼうぎょ》戦闘〉

一　猛射で米鬼を滅すぞ　腕を磨けよ一発必中近づけて

二　演習の様に無暗《むやみ》に突込むな　打ちのめした隙に乗ぜよ　他の敵弾に気をつけて

三　一人死すとも陣地に穴があく　身守る工事と地物を生せ　偽装遮蔽にぬかりなく

四　爆薬で敵の戦車を打ち壊せ　敵数人を戦車と共に　これぞ殊勲の最なるぞ

五　轟々《ごうごう》と戦車が来ても驚くな　速射や戦車で打ちまくれ

六　陣内に敵が入っても驚くな　陣地死守して打ち殺せ

七　広くまばらに疎開《そかい》して　指揮掌握は難かしい　進んで幹部に握られよ

八　長斃《たお》れても一人で陣地を守り抜け　任務第一　勲《いさお》を立てよ

九　喰はず飲まずで敵撃滅ぞ　頑張れ武夫《もののふ》　休めず眠れぬとも

十　一人の強さが勝の因　苦戦に砕けて死を急ぐなよ膽の兵

十一　一人でも多く斃《たお》せば遂《つい》に勝つ　名誉の戦死は十人斃《たお》して死ぬるのだ

十二　負傷しても頑張り戦へ虜《とりこ》となるな　最後は敵と刺し違へ

この徹底した具体性こそが栗林の真骨頂といえよう。

ここには空疎な理念もなければ形式的な美辞麗句もない。兵士たちがどんなときに動揺し、どういうミスをしがちであるかを考え、実際に戦場に立ったときに心がけるべきことを分かりやすく教えている。

実際の戦闘に入ると同時に栗林が開始したのは、部下将兵の功績調査とそれにもとづく感状（最高指揮官からの表彰状）の授与、そして進級の申請である。

米軍上陸初日の二月一九日、米軍の戦車二〇両あまりを擱坐《かくざ》（壊れて動けなくする）させた独立速射砲第八大隊の小隊長、中村貞雄少尉《しょうい》に対し、さっそく個人感状を授与して二階級特進を申請している。この功績は上聞《じょうぶん》に達することとなった。上聞に達するとは天皇に伝えられることで、当時としては破格の名誉である。

栗林はその後も将兵の功績を念入りに調べさせて感状を授与し、上聞に達するよう処理している。公刊戦史には栗林が授与した四通の感状が収録されているが、そのすべてが上聞に達したと記録にある。こうしたまめさは太平洋戦争の他の戦場の指揮官には見られない。おそらく部下の働きに少しでも報いようとしたのであろう。栗林の直属である副官部の担当官は戦闘のさなか、危険を冒して各部隊へ感状の伝達に赴いた。

感状は大本営にも伝達され、公式の記録に残る。いつどこで誰がどのような働きをしたかが具体的に記されるため、生還者が少なく戦闘の記録もほぼ散逸した硫黄島では、どのように戦いが展開したのかを知る手がかりともなるのである。

また、公式の記録に残るということは、留守宅の家族に伝わるということでもある。当時それは一門の誉《ほま》れとなったのはもちろん、夫や父、息子が戦場でどう戦ったかを知ることは、残された家族の心の慰めとなったのではないだろうか。

もちろん感状を授与された将兵のみが勇ましく戦ったのではない。連絡が途絶えて報告のできなかった、あるいは部隊が全滅したために記録に残らなかった、感状級の武勲の数々があるに違いない。

さらにいえば、硫黄島では武勲を立てることだけが戦いではなかった。手当てされることなく衰弱死した負傷兵もいれば、壕を塞《ふさ》がれて窒息死させられたりガソリンを流し込まれて焼き殺された兵士もいる。銃弾の雨の中を伝令に走ったり、仲間のために水を探しに行って帰ってこなかった者もいる。

戦場の死はどれも無惨《むざん》である。しかしもし、戦死が〝名誉ある死〟でありえるなら、彼らのすべてが――恐怖におののきながら息絶えた者も、故郷に帰りたいと願いながら無念の最期《さいご》を遂げた者も――名誉ある死と呼ばれるべきであろう。

彼らは、自分たちが生きて抵抗しているうちは硫黄島は落ちたことにならないと信じて、苦しい生を生き苦しい死を死んだ。硫黄島では、生きることと死ぬことのすべてが戦いだったのである。

栗林は将兵たちの家族についても心を砕いていた。大本営との連絡業務のため上京している間に米軍が上陸し、硫黄島に戻れなくなった高級副官の小元久米治少佐は、戦闘真っ最中の二月末、栗林から電報を受け取った。そこには「小元副官は硫黄島将兵の後事の処理に遺漏《いろう》なきを期すべし」と書かれていた。この短い命令の中に栗林は、自分は部下たちを生きて故郷に帰すことはもうできない、せめて遺族の力になってくれという思いを込めたのである。

小元は栗林の意に応《こた》えるべく、遺骨の護送等で在京中だった硫黄島部隊所属の将校以下数名をもって「硫黄島調査班」を編成し、将兵の戦死公報の調製および発送、功績調査などに専念した。それは終戦後の一九四五（昭和二〇）年暮れまで続けられた。

三月上旬になると、すでに島全体の約三分の二が米軍に占領されていた。主陣地第一線・第二線とも突破され、三つの飛行場のうちもっとも北にあった北飛行場も奪取された。日本軍はいよいよ島の北部に追いつめられつつあった。

Dデイ・プラス13（三月四日）の時点で、日本軍の残存兵力は約四一〇〇名。指揮官の三分の二が戦死し、火砲と戦車の大部分は失われていた。

この日、千鳥飛行場の滑走路に初めて米軍機が着陸した。サイパンを飛び立って東京を空襲したB-29が、帰路、故障と燃料切れで不時着したのだ。日本軍の迫撃砲による攻撃を受け、すぐにサイパンに向けて飛び立ったが、米軍は硫黄島攻略の成果を着々と形にしつつあった。

一方、砲弾の尽きかけた日本軍の戦いはゲリラ戦に移行していた。

米兵はじりじりと迫ってくる。日本兵は後退せず自分の陣地を死守しようとする。いきおい両者は互いの顔が見えるほどの距離で接近戦を展開することになる。米軍は、自軍に損害を与える怖《おそ》れがあることから空からの掩護《えんご》爆撃ができず、火炎放射器や爆薬を手に進んでくる。それに対し日本軍は、地下壕《ちかごう》から手榴弾《しゆりゆうだん》を投げ、あるいは小銃で狙撃《そげき》して応戦する。

敵戦車に突っ込む肉薄攻撃も、次第に爆薬が尽きてきた。私が見た写真では、戦車に体当たりして死んだ三人の日本兵のそばに、米軍から奪ったと思われる燃料缶が転がっていた。爆薬の代りに燃料缶を抱いて突撃したのだという。仰向けに倒れた一人の兵士の腹部は半ば吹き飛んでいたが、その真っ黒に焼けただれた両腕は、燃料缶をしっかりと抱えた形のまま、宙に向って突き出されていた。

米軍の野営地への夜間斬《き》り込みも行われた。バンザイ突撃ではなく、少人数による計画的なものである。最初の頃は効果があったが、そのうち米軍も慣れて対策を怠らなくなり、生きて帰らない者の方が多くなった。

負傷者のうめき声があふれる地下壕には、硫黄《いおう》の臭いとともに死臭が充満していた。壕内で死んだ者を埋葬する術《すべ》はなく、兵士たちは戦友の遺体と同居するしかなかった。

食糧も残り少なくなっていたが、何より苦しいのは水のないことだった。米軍上陸前、壕掘りのときの水不足も辛《つら》かったが、その頃は少ないながらも一定量の水の配給があった。しかし今はそれもない。

生還者の談話や手記に、渇水《かっすい》の苦しさが描かれていないものはないと言っていい。

独立臼砲《きゅうほう》第二十大隊にいた星野富士高は、硫黄島協会の会報に寄せた文章で、「夜降った雨水が道路に溜《たま》っているのを四つんばいで飲んだ時の甘《うま》かった味が忘れられない思い出です」と当時を振り返っている。よく知られた軍歌の一節に〝泥水すすり草を嚙《か》み〟という表現があるが、硫黄島ではその泥水さえ甘露の水のごとき恵みであった。

また、同じく独立臼砲第二十大隊の生還者である小島高次が一九六八（昭和四三）年に「柳井日日新聞」に発表した回想手記には次のような一節がある。

グラマンの去るのを待って、壕の入口に集って故郷を慕って懐旧談に花が咲く。話は喰うことと水のことが主としての話題である。朝鮮出身者ばかりのわが隊は（筆者注・独立臼砲第二十大隊は在朝鮮の日本人で編成された）、漢江の水を腹一ぱい呑《の》んでみたいとか、大同江、三防の滝など水に関連した話ばかりして一時の渇きをいやす。

或《あ》る兵が突然大声で皆を呼ぶ。見ると物陰に残っていたススキの葉先に夜露が光っているのを見て大喜び、静かに抱擁するように唇の先に受けた。

決して達者とはいえない文章の中で、「静かに抱擁するように唇の先に受けた」という部分が、まるで詩のように美しい。それほど彼らは水に餓《かつ》え、それほど真水は貴重だったのである。

手記は続く。

或る兵隊は馬鹿《ばか》に沈み込み、泣き声で訴えるように、今日か明日かに迫った命、もし万が一無事故郷に帰れるようなことが出来たら、地位も名誉もいらないと泣く。雲に乗れるものなら雲に乗って、海底が歩けるものなら海中を、この地獄の世界から逃れたい気持でいっぱいだと。


「この地獄の世界」――そう思っていたのは、兵士たちだけではない。三月五日、膽部隊参謀長名で打電された大本営あての戦訓電報の末尾に、以下のような文章がある。

敵の制空権は絶対かつ徹底的にして一日延一六〇〇機に達せしことあり。未明より薄暮まで実に一瞬の隙なく二、三〇ないし一〇〇余の戦闘機在空し、執拗《しつよう》なる機銃掃射か爆撃を加へ、わが昼間戦闘行動を封殺するのみならず敵はその掩護下に不死身に近き戦車を骨幹とし、配備の手薄なる点に傍若無人に滲透《しんとう》し来《きた》り。我をして殆《ほとん》ど対策なからしめ、かくして我が火砲、重火器ことごとく破壊せられ、小銃および手榴弾を以《もっ》て絶対有利なる物量を相手に逐次困難なる戦闘を交へざるを得ざる状況となれり。

以上これまでの戦訓等にては到底想像も及ばざる戦闘の生地獄的なるを以て、泣き言と思わるるも顧みず敢て報告す。

（原文は漢字＋カタカナ、傍線筆者）

戦訓電報の中で、戦闘の状況を「生地獄」と表現するのは異例のことである。しかしこのとき硫黄島で息をしている者の中で、自分の今いる場所が地獄だと思わない者はなかった。傍線をほどこした最後の一文からは、生き残った全将兵の叫びが聞こえてくるようだ。

発信者は参謀長になっているが、硫黄島からの電報はすべて総指揮官である栗林が決裁していた。この過激ともいえる電文は栗林の意志でもある。自分たちが見捨てた島を、二万将兵の死をもって守り抜けと命じる大本営に、栗林は島の実情の一端を知らせようとしたのだった。

文句も泣き言も言わず、すべてを飲み込んで黙ったまま散っていくのが当時の軍人の美学であったろう。しかし栗林はそんなものに殉じる気はなかった。

栗林は、移り変わる戦闘の状況を戦訓電報で克明に報告している。硫黄島の後、米軍は台湾や沖縄に上陸してくると予想されていた。その際の防備に少しでも役立つようにと、正確な数字の把握、敵の戦術・戦法の観察と分析につとめたのである。

当時の栗林の報告を、戦後に発表された米軍の資料と照らし合わせると、彼が正確に米軍の損害状況を把握していたことがわかる。たとえば三月二日現在の米軍の損害を、栗林は死傷者約一万二〇〇〇、戦車約二〇〇、航空機約六〇と推定しているが、これは実際の数字よりも一割程度多いだけである。

太平洋戦争全体を通して、日本軍の指揮官は、戦況を自分に都合の良いように解釈しがちだった。それに対し、栗林はひたすら冷静に事実を見据えていたといえる。

その栗林が最後の戦訓電報を発したのは、三月七日のことである。硫黄島から発信された中で最も長いこの電報は、ふたつの点で異色だった。

ひとつは、蓮沼蕃《はすぬましげる》侍従武官長に宛《あ》てて書かれていることだ。蓮沼侍従武官長は、栗林の陸軍大学時代の兵学教官で、同じ騎兵科の出身でもあった。

戦訓電報は大本営の参謀に宛てて書かれる。その後の作戦立案や戦闘指導に役立てるためのものだからである。侍従武官長宛てに書くというのは、いわば〝お門《かど》違い〟であり、普通はまずありえない。

この電報もほかの戦訓電報と同様、形式的には参謀次長宛てになっているが、冒頭に「蓮沼侍従武官長に伝へられ度《たし》（原文は漢字＋カタカナ、以下同）」とあり、中身は完全に蓮沼に宛てたものである。最後に「終りに臨み年来の御懇情を深謝すると共に閣下の御武運長久を祈り奉《たてまつ》る」との一文があり、あたかも蓮沼に宛てた遺言のように読める。

なぜ栗林はこんなことをしたのか。それはこの戦訓電報の、もうひとつの異色さに関係している。

もうひとつの異色さ——それは、戦訓の〝中身〟である。この戦訓の中で栗林は、大本営の方針に対する率直な批判を行っているのだ。

批判の要点はいくつかあるが、まず一つ目は、後退配備での出血持久という方針に徹底せず、水際《みずぎわ》陣地にも未練を残したことに対してである。

一九四四（昭和一九）年八月の段階で、大本営は後退配備に方針転換した。しかしそれは、後方の主陣地に一〇〇パーセント力を注げというのではなく、水際陣地も構築せよというものだった。特に海軍側が、水際陣地を作ることに頑強にこだわった。

サイパンの戦訓から、敵を水際で撃滅することは無理だとわかっていながら、軍中央部は大胆な方針転換ができなかった。水際陣地にも未練を残したために、中途半端《はんぱ》な防備態勢になってしまったのである。

このことを栗林は、「敵の絶対制海、制空権下に於《お》ける上陸阻止は不可能なるを以て敵の上陸には深く介意せず専《もっぱ》ら地上防禦《ぼうぎょ》に重きを置き配備するを要す」「主陣地の拠点的施設は尚《なお》徹底的ならしむるを要す　其《そ》の然《しか》るを得ざりしは前項水際陣地に多大の資力、兵力、日子《にっし》を徒費したるが為《ため》なり」とし、どっちつかずの方針のために肝心の主陣地が不徹底なものになったのは大きな反省点だとしている。

批判の二つ目は、日本軍にはもう飛行機などないにもかかわらず、米軍の上陸直前まで、飛行場の拡張工事を行わせたことに対するものである。戦訓電報にはこうある。

「……殊《こと》に使用飛行機も無きに拘《かかわ》らず敵の上陸企図濃厚となりし時機に至り中央海軍側の指令に依《よ》り第一、第二飛行場拡張のため　兵力を此《こ》の作業に吸引せられしのみならず陣地を益々《ますます》弱化せしめたるは遺憾の極みなり」

硫黄島はもともと〝洋上の不沈空母〟として構想されており、当初は確かに飛行場の整備拡張が第一だった。しかし米軍の上陸がほぼ確実となり、島を少しでも長く死守することが最大の課題となってもなおその方針を変えず、拡張工事に人員を割いていたのは不合理としかいいようがない。しかも使える飛行機はゼロに近かった。苦労して拡張した飛行場は結局、米軍による日本本土空襲に使用されることになるのである。

この二つの批判点——後退配備の不徹底および飛行場への固執——はいずれも海軍が従来の方針に拘泥《こうでい》したことによって生じたものだった。栗林は陸軍中将だったが、硫黄島では総指揮官として海軍もその指揮下に置いていた。しかし海軍には海軍のやり方があり、栗林の方針が徹底できない憾《うら》みがあった。

硫黄島における陸海軍間の齟齬《そご》は、陣地構築のときからすでに顕在化し、米軍上陸後の戦闘に至るまで尾を引いた。その原因は、中央の陸軍と海軍が対立しており、そのため硫黄島の防備方針が一本化されなかったことであるとして、栗林は戦訓電報の中で「……陸海軍の縄張的主義を一掃し両者を一元的ならしむるを根本問題とす」と指摘している。

この戦訓電報は公刊戦史に収録されているが、陸海軍の縄張り主義を批判し、一元化を進言した部分だけが省略されている。公刊戦史を編纂《へんさん》したのは、防衛庁防衛研修所である。陸海軍の対立は、戦後、自衛隊の時代となっても、できれば触れたくないタブーだったということなのだろうか。

こうした内容であったがゆえに、栗林は大本営に直接訴えても黙殺されるばかりだと思ったのだろう。だからあえて、信頼する元教官に宛てる形を取ったのだ。あるいは侍従武官長という、天皇に直接仕える立場にある蓮沼を通すことで、前線の現状が天皇に伝わることを期待したのかもしれない。

これを受け取った蓮沼侍従武官長はどうしたか。

当時の内大臣、木戸幸一による『木戸幸一日記』の一九四五（昭和二〇）年三月九日の記述に、「十一時半、武官長（筆者注・蓮沼侍従武官長のこと）来室、統帥《とうすい》一元云々《うんぬん》につき話す」とある。ここでいう〝統帥一元云々〟とは、まさに栗林が戦訓電報に書いた陸海軍の一元化のことである。

当時の日本では、陸・海軍を統合するべきであるという論議が巻き起こっていた。両者の足並みが揃《そろ》わず、互いに反目しあうことの弊害は以前からあったが、本土決戦を控えた情勢の中で改めて大きな問題として浮上してきていたのだ。

二月二六日に陸軍中央省部の首脳会議で決定された「本土決戦完遂基本要綱」は、陸海軍の統合を根本課題とするものだった。これを受けて、三月三日以降、陸海軍間で折衝が行われていた。蓮沼侍従武官長が木戸内大臣と面談したのは、まさにこうした時期であった。

栗林が硫黄島から最後の戦訓電報を発した時刻は三月七日二三時〇〇分、大本営が受電し参謀次長に提出されたのが八日七時一五分。蓮沼侍従武官長が木戸内大臣を訪ねたのは九日一二時三〇分だから、蓮沼は栗林の電文を読んでから内大臣に会いに行ったに違いない。戦場の第一線の現状を中央に伝えようとする栗林の意志を、蓮沼侍従武官長は確かに受け止めたのである。

だが陸海軍の一元化は結局、実現しなかった。陸海軍双方の首脳による会談も行われたが意見は一致せず、三月二六日、杉山元《はじめ》陸軍大臣は、陸海軍統帥一元化は困難である旨《むね》の結論を天皇に上奏する。陸海軍の作戦思想の不統一は終戦まで続くこととなった。

最後の戦訓電報の締めくくりに栗林が綴《つづ》ったのは、この無謀な戦争そのものへの批判ともいえる文章であった。

「防備上更に致命的なりしは彼我物量の差余りにも懸絶《けんぜつ》しありしことにして結局戦術も対策も施す余地なかりしことなり」

「彼我物量の差」とはつまり、国力そのものの差である。

戦いの現場には、優秀な指揮官がおり、みずからの生命を顧みない勇敢な兵士がいた。しかし彼らが流したおびただしい血をもってしても埋めきれない国力の差が、はじめからあったのである。栗林の言う「結局戦術も対策も施す余地なかりしこと」とは、硫黄島に限ったことではなく、この戦争全体を指しているのではないか。

現実を直視せず戦争に突き進んだ上、その場しのぎの弥縫《びほう》策を繰り返した戦争指導者たちを、この電報はきびしく指弾している。一般の兵士たちには言いたくてもその術《すべ》がなく、黙って戦うことを美学とした現場の指揮官たちはあえて口にしようとしなかったことを、栗林は戦訓の形で主張したのだ。

硫黄島に来るまでの栗林は、スマートな文人肌の軍人であり、熱情に突き動かされて上層部に楯突くようなタイプではなかった。しかし二万余の部下の凄惨《せいさん》にして苛烈《かれつ》な戦いぶりを見て、どうしても言わねばならぬと思ったのだろう。最後の戦訓電報は、理路整然とした批判文であると同時に、今このときも命を落としつつある全将兵を代表しての、必死の抗議文でもあったのである。

「取扱注意」――細かな文字がびっしりと並ぶこの電報の冒頭には、筆文字で大きくそう記されている。大本営の手によるものである。栗林の戦訓が、この後の日本軍の戦いに役立てられることはなかった。

第十章 最期《さいご》

三月九日の夜は晴れていた。砲弾の破片と兵士たちの死体で覆《おお》われた島の上を、暖かな海風が渡っていった。

まだ生きている日本兵たちが、地下壕《ちかごう》の奥深くの暗闇《くらやみ》で、あるいはつかの間の休息をとり、あるいは傷の痛みに呻吟《しんぎん》していた頃、はるか八〇〇〇メートルの上空を通過する爆撃機の編隊があった。銀色に輝く巨大な機体――〝超空の要塞《ようさい》〟B-29爆撃機である。グアム、サイパン、テニアンの各基地を離陸した三三四機は、編隊を組むだけで三時間を要し、その全長は一〇〇キロメートルに達した。針路は北。目標は東京である。

かつて米軍の爆撃機をレーダー探知して本土に警報を発し、ときには戦闘機を発進させて迎撃した硫黄島《いおうとう》の日本軍基地は、そうした機能をすでに失っており、B-29の大編隊は、日本の戦闘機や高射砲の反撃をほとんど受けることなく東京上空に達した。

三月一〇日、午前〇時過ぎのことである。

三〇〇〇メートル以下の低空から投下されたのは、焼夷弾《しょういだん》一六六五トン。折りからの強風にあおられて燃え広がった炎は下町一帯を焼き尽くした。

約八万四〇〇〇人（一〇万人との推定もある）の死者、約四〇万人の負傷者を出し、焼失家屋は約二六万七〇〇〇戸、罹災者《りさいしゃ》は一〇〇万人を超えた。

東京大空襲の特徴は焼夷弾による火災が人々の命を奪ったことである。

使用されたM69焼夷弾は日本の木造家屋を焼き払うために実験を重ねて開発されたもので、屋根を貫通し着弾してから爆発、高温の油脂が飛び散って周囲を火の海にする。これを都市に投下することは一般市民を無差別に殺傷することであり、それまでは人道的見地から米軍も使用をためらってきた。

しかし、軍需工場をピンポイントに爆撃するそれまでのやり方では効果が少ないという意見を受け、陸軍航空団のアーノルド大将は一九四五（昭和二〇）年一月、マリアナ基地司令官の首をすげ替える。軍事施設のみへの精密爆撃を行ってきたハンセル准将《じゅんしょう》を更迭《こうてつ》し、焼夷弾の使用による無差別戦略爆撃を主張するルメイ少将を後任に据えたのである。

ここに至る前から、栗林は家族に宛《あ》てた手紙の中で、東京の空襲に焼夷弾が使われ、それによって火災が起こることを心配し、繰り返し警告していた。

……東京のようなところでは、死傷が想像以上、出ると思います。殊《こと》に敵は焼夷弾を混ぜて使うだろうから必ず火事が起こり、そのために生ずる混乱災害は相当のものでしょう。よくよく覚悟して十分準備をしておくべきです。敵は近く大型機を以《もつ》て東京空襲をやるかもしれません。

（昭和一九年一一月二日付　妻・義井あて）

内地も最近は頻々空襲されるようになったことを承知し、非常に心配しています。今のところ軍事工場を目標としているらしいが、どこをどう盲爆するか分かったものでない。また爆撃後の火災は一層厄介だが、それもどういうことになるか油断も隙《すき》もあったものでない。（昭和一九年一二月一五日付　妻・義井あて）

焼夷弾の投下とそれによる火災、大型機での東京空襲。そして、軍事施設以外への無差別爆撃――栗林は的確な予測をしていたことになる。

留守宅への最後の便りは、二月三日に書かれた。そこでも栗林は、東京への空襲、とりわけ焼夷弾に注意するよう促している。

いつもいう通り敵の空襲は春ごろからは今の何層倍になるか分からないから、足もとの分かるうちに早く安全地帯に行ったがよいように思う。爆弾でやられることはまあなかろうが、焼夷弾から起こる火事にやられる心配は相当あると考えねばならない。

当地でもこのごろ焼夷弾を相当落とすようになり、もう燃えるものはないけれどやはり火災が起こる。（普通の焼夷弾のほかにガソリンのドラム罐《かん》を投下し、火の海のようにすることとすらある——東京ではちょっとできまいが）

（昭和二〇年二月三日付　妻・義井あて）

栗林の心配は、最悪の形で的中したのである。

米海軍の従軍記者だったリチャード・ニューカムは、著書『硫黄島』で、三月一〇日の東京大空襲を「戦争中最大の破壊攻撃」であるとして、「この攻撃は紀元六四年にネロがローマに火をつけたよりも、一六六四年のロンドンの大火、一八一二年のモスクワの火災、一八七一年のシカゴの大火事、一九〇六年のサンフランシスコの地震などのいずれより残忍であった」と書いている。

焼失面積は江東区・墨田区・台東区にまたがる約四〇キロ平米。まず先発部隊が目標区域の輪郭に沿って焼夷弾を投下して火の壁を作り、住民が逃げられないようにした上で、内側をくまなく爆撃した。いわゆる絨毯《じゅうたん》爆撃である。

高温の油脂が燃えるのだから、ただの火事とは違う。火は雪崩《なだれ》のように地を這《は》い、竜巻のように空に舞い上がった。B-29の乗員の証言によれば、すさまじい火災の熱によって乱気流が生じ、低空で飛ぶ機体を激しく揺らしたという。人間の力で消火することなど不可能で、人々はただ逃げまどうしかなかった。

激しく燃える炎が酸素を奪い、窒息死する人もいた。鉄筋コンクリートの建物なら安全だと思い学校などに避難した人たちも、爆風のような勢いで流れ込んでくる炎に焼かれた。川は、炎熱地獄から逃れようと殺到した人々の死体で埋まった。

地上を荒れ狂う炎を映して、夜空は真昼のように明るかった。二時間半に及んだ爆撃を終えて帰途についたB-29の乗員が振り返ると、三〇〇キロ離れてもなお、東京の上空が白く輝いているのが見えたという。

帰路、機体に損傷を受けた二機のB-29が硫黄島の滑走路に着陸した。また一四機が近くの海に不時着水し、そのうち五機の乗員は救助された。

これほどの大規模攻撃でありながら、東京大空襲に参加した三三四機のB-29のうち、未帰還機はわずか一四機であった。この損害の少なさには、硫黄島の存在が寄与している。東京を焼き尽くすという大仕事を成し遂げた英雄たちを、もとはといえば日本軍が建設した滑走路が救ったのである。

その滑走路からわずか数百メートル北では、依然として日本兵たちが苦しい抵抗を続けていた。自分たちは本土の日本国民に代わって、降りそそぐ砲弾をいま受けているのだ。自分たちが敵の攻撃に耐えているうちは、父母も妻子も無事なのだ——その思いだけを心の支えにして。

三月一二日には名古屋を空襲したB-29のうち七機が、一七日には神戸から帰る途中の一三機が、硫黄島に不時着した。危うく生命が助かった乗員の中には、飛行機を降りるや跪《ひざまず》いて滑走路にキスする者もいた。

それを見た硫黄島の米兵たちはぎょっとした。彼らにとってこの島は地獄そのものであり、地獄の大地にキスするなど狂気の沙汰《さた》に思えたのだ。しかしB-29の乗員たちは、マリアナ基地まで帰る遠い道のりの半ばに、この焼けただれた醜い島が存在したことに心から感謝していた。

焼夷弾による無差別爆撃を立案し実行した司令官ルメイ少将は、先導機のパイロットとして神戸空襲の爆撃チームに参加していた。神戸空襲後にサイパンで行われた記者会見で彼は、「硫黄島のおかげで、われわれは仕事がやりやすくなったよ」と満足げに語ったという。

終戦までに不時着したB-29は、のべ約二四〇〇機。硫黄島は、およそ二万七〇〇〇名の搭乗員の生命を救ったのである。

不時着場として使われただけではもちろんない。完全に陥落した後の硫黄島には、B-29を掩護《えんご》する多数の戦闘機、そしてB-29そのものも配備された。もはや米軍は、日本のどの都市でも自在に壊滅させることができるのだった。本土への空襲はますます激しくなり、被害は激増した。硫黄島を奪取したことで切り拓《ひら》かれた本土への空路はまさに、アメリカの勝利につながる道であった。

戦闘で命を落とした兵士の数を上回る生命を救ったこと。自国の勝利を早める空路を得たこと。この二つをもって米軍は、硫黄島攻略戦が生んだ史上最大級の犠牲はあがなわれたと結論づけることになる。

東京が焦土と化した三月一〇日の夜、栗林は何をしていたか。

彼は司令部壕の中で紙幣を燃やしていた。それは激戦の中、将兵たちから募った国防献金だった。合計金額は三万六五八四円。本土防衛に役立ててもらおうと、生き残った将兵たちが所持金を出し合ったのである。

しかし、はるか南の果てで孤立している硫黄島に送金の方法があるはずもない。すり切れたポケットから、あるいは泥や油煙で汚れた雑嚢《ざつのう》から、それぞれ取り出され集められた紙幣は、金額を確認した上で焼却された。そして大本営宛てに、大蔵省への献金を依頼する電報が打たれた。その電文にはこうある。

「将兵の情に涙止まらず。本夜本壕内にて焼却処分にすべく、なにとぞ献金の手配よろしく」

栗林も将兵たちも、この日、本土攻略のさきがけとして首都に無差別攻撃が行われたことを知る由《よし》もなかった。

栗林はかつて、長男の太郎と長女の洋子に「東京大空襲の前提としては、父のいる島が敵に取られるということで、いい換えれば父が玉砕したということである」（昭和一九年九月二七日付）と書き送った。自分たちが耐え抜いている間は、東京は無事であるはずだ――栗林もまたそう信じていたのである。

三月一〇日は陸軍記念日だった。

硫黄島の日本軍はこの頃すでに主陣地第二線も突破され、島の北部のごく狭い地域に追いつめられていた。島内の要所がすべて敵手に落ち、夜間の斬《き》り込みで死傷者が増えるばかりの北地区の壕を、少し前から「陸軍記念日には本土から援軍が来る」という噂《うわさ》が駆けめぐっていた。「その後、四月二九日の天長節には本土に帰れる」という話が付け加えられることもあった。

そんなことはもはやありえないと思いつつも、一縷《いちる》の望みをかける兵士が少なくなかった。「日本の国土であるこの島を、大本営が見捨てるはずはない」「このあいだは特攻機がやって来て、敵の戦艦をみごと撃沈したではないか」というのである。

硫黄島に特攻隊が来援したのは二月二一日のことだった。千葉県の香取基地を飛び立った第六〇一海軍航空隊の第二御楯《みたて》特攻隊である。編成は、艦上戦闘機（零戦《ゼロせん》）九、艦上攻撃機（天山）六、艦上爆撃機（彗星《すいせい》）一〇。このうち故障機などを除く二一機が、硫黄島を取り囲んだ米艦船に体当たりを敢行した。

奇襲が始まった午後四時過ぎ、香取基地の電信室には、続々と突入電が入り始めた。「輸送船に突入す」「空母に突入す」……。

一方、硫黄島の海軍司令部では、司令官である市丸利之助少将、参謀の赤田邦雄少佐らが暗号室に詰め、米軍の無線を傍受していた。やがて「カミカゼ！　カミカゼだ！」という狼狽《ろうばい》した声が聞こえてきた。「何機だ？」「突っ込んでくるぞ！」。同時に島内の日本軍の各陣地を結ぶ無線からは、「特攻隊が来たぞ！」「バンザイ、撃沈だ。火柱が見える！」という歓喜の声が入ってくる。

第二御楯特攻隊は、護衛空母轟沈《ごうちん》一、空母大破一、貨物輸送船損傷一という戦果をあげた。これは非常に大きな成功といっていい。日本軍の特攻攻撃によって沈んだ空母は太平洋戦争を通じて三隻《せき》のみだが、そのうちの一隻がこのときだった。

新聞やラジオで戦果が大々的に報じられたが、硫黄島への本格的な支援はこれが最初で最後となった。硫黄島の第二十七航空戦隊の司令部附下士官だった松本巌の手記によれば、この特攻攻撃があった日の夜、赤田参謀が下士官と学徒士官全員を集めて、「わが硫黄島への支援は、本日の特攻隊の攻撃を以て終止符が打たれたものと考えよ」と言ったという。

戦闘が始まってまだ三日目だったが、軍中央部はこれ以上、硫黄島のために飛行機を使うつもりはなかった。そのことを、栗林はじめ硫黄島の幕僚たちはみな承知していたのである。

東京が猛火に包まれていた三月一〇日の時点で、硫黄島の戦いの帰趨《きすう》は事実上決していた。

栗林のもとには、部隊ごとの玉砕の報が入ってくるようになっていた。栗林はバンザイ突撃を厳しく禁じていたが、各部隊ではすでに水も食糧も枯渇《こかつ》し、兵の体力も衰えている。その上、周囲を米軍に包囲されてしまえば、進むも死、とどまるも死という状態である。「いっそ突撃して万歳を唱えん」と、玉砕を決意する指揮官が出てくるのも無理はなかった。

しかし玉砕の意志を伝える無線連絡が入ると、そのたびごとに栗林は中止を厳命した。思いとどまる部隊もあったが、敢行する部隊もあった。栗林の命令に従って玉砕を中止し、司令部に合流するため壕を脱出して転進した部隊も、多くが途中で敵弾に斃《たお》れた。

日本兵が戦友の遺体ばかりが増えてゆく地下壕の中で渇きに苦しんでいるとき、米軍側の前線の数キロ後方では米兵が温かいコーヒーを飲み、シャワーを浴びていた。日本兵が故郷からのすり切れた手紙を懐《ふところ》に息絶えているとき、米兵は航空機が本国から運んできた家族からの手紙を受け取っていた。

三月一四日には、硫黄島作戦はほぼ終了したと考えた米軍による、公式の国旗掲揚式が行われた。掲揚のためのポールは、摺鉢《すりばち》山から二〇〇メートルほど北に立てられていた。そこに星条旗が揚がると同時に、摺鉢山の星条旗は下ろされた。

式典ではニミッツ大将による占領宣言が読み上げられたが、本人はすでに島を離れていた。次の作戦――沖縄攻略戦のための会議をグアムで行っていたのである。

スミス中将はもちろんそこにいた。「マイ・マリーンズ」のそばに。彼は目に涙をためて、第三海兵師団長のアースキン少将に話しかけた。

「この島の戦いは、最悪だったな」

その「最悪」は、まだ終わっていなかった。

スミス中将の立っている所からそう遠くない場所に、この島で死んだ兵士たちの墓地が作られていたが、白いペンキで塗られた十字架の数は増え続けていた。日本軍の兵士たちは抵抗をやめず、前線では死闘が続いていたのである。この日から、最高指揮官栗林が戦死し日本軍の組織的抵抗が終わる日までに、米軍はさらに二〇〇〇人を超える死傷者を出している。

この頃にはもう、日本軍と米軍の前線は、近いところでわずか五〇メートルの距離しかなかった。砲弾も銃弾も尽きた日本兵たちが頼みとするのは、ほとんど手榴弾《しゅりゅうだん》のみとなっていた。しかしどの兵も、最後の一発だけは使わずに残しておいた。自決するときのためである。

北地区にある日本軍最後の拠点に残った兵力は、三月一四日の段階で約九〇〇名（うち海軍約二〇〇名）。ただし島の中にこれだけしか日本軍の将兵がいなかったわけではなく、すでに米軍の前線が通り過ぎた地域にも壕《ごう》の中で生き残っている兵士がいた。部隊がばらばらになり、指揮する者がいなくなっても、彼らの多くはゲリラとなって戦った。米軍が投降を呼びかけても、応じる者はまずいなかったという。米軍は、もうとっくに占領したと思った地域で、思わぬ所から飛び出してくる日本兵によって死傷した。

三月一五日には、元山飛行場を米軍が使用しはじめた。三月一六日には、ニミッツ大将が硫黄島作戦の終結宣言を行い、この島を公式に占領したという特別コミュニケ（声明）を発表する。その中でニミッツは海兵隊員のたぐいまれな勇気と献身を賞賛し、感謝の言葉を贈った。

確かに硫黄島でよく戦ったのは日本兵だけではない。公平に見て、海兵隊の戦いぶりもまた戦史に残る目覚ましいものだったといわなければならない。

息を引き取る間際《まぎわ》まで、自分が流した血の海の中で指揮を続けた将校もいれば、戦友たちの命を救うために手榴弾の上に身を投げ出して死んだ兵士もいた。物量において日本軍よりはるかに恵まれていた点を差し引いても、海兵隊始まって以来の犠牲にもひるまず前進した彼らの勇気は、米国民の尊敬と感謝に値するものだったといえる。

ニミッツのコミュニケの最後は「硫黄島で戦ったアメリカ兵の間では、並はずれた勇気がごく普通の美徳であった」と結ばれていた。

硫黄島の価値を、軍事戦略の面からではなく、個人の勇気と国への献身という視点でうたいあげたこの言葉は米国民の心をとらえた。一躍有名となったこのフレーズは、摺鉢山頂上の戦勝記念碑に記され、さらに、ワシントンのアーリントン国立共同墓地に隣接して建設されたモニュメント——摺鉢山に星条旗を立てる六人の兵士の像——の台座にも刻まれた。

同じ三月一六日、栗林は最後の総攻撃に打って出る決心を固めていた。

これまで各部隊に玉砕を禁じてきた栗林だったが、このとき日本軍は南北約七〇〇メートル、東西二〇〇~五〇〇メートルというごく狭い範囲に封じ込められ、米軍に完全に包囲されていた。米軍は戦車や火砲を使って壕を圧迫し、死傷者が続出した。

この状況と、弾薬や食糧・水の残量、負傷者の数、将兵たちの体力などを計算し、総攻撃を効果のあるものにするには、いまが潮時であると判断したのである。

栗林が大本営に宛《あ》てて訣別《けつべつ》電報を発したのは、この日の一六時過ぎだった。

戦局、最後の関頭に直面せり。敵来攻以来、麾下《きか》将兵の敢闘は真に鬼神《きじん》を哭《なか》しむるものあり。特に想像を越えたる物量的優勢を以《もっ》てする陸海空よりの攻撃に対し、宛然徒手空拳《えんぜんとしゆくうけん》を以て克《よ》く健闘を続けたるは、小職自ら聊《いささ》か悦《よろこ》びとする所なり。

然《しか》れども飽くなき敵の猛攻に相次で斃《たお》れ、為《ため》に御期待に反し此《こ》の要地を敵手に委《ゆだ》ぬる外なきに至りしは、小職の誠に恐懼《きょうく》に堪《た》へざる所にして幾重にも御詫《おわび》中上ぐ。

今や弾丸尽き水涸《か》れ、全員反撃し最後の敢闘を行はんとするに方《あた》り、熟々《つらつら》皇恩を思ひ粉骨砕身も亦《また》悔いず。

特に本島を奪還せざる限り、皇土永遠に安からざるに思ひ至り、縦《たと》ひ魂魄《こんぱく》となるも誓って皇軍の捲土重来《けんどちようらい》の魁《さきがけ》たらんことを期す。

茲《ここ》に最後の関頭に立ち、重ねて衷情《ちゆうじよう》を披瀝《ひれき》すると共に、只管《ひたすら》皇国の必勝と安泰とを祈念しつつ永《とこし》へに御別れ中上ぐ。

尚《なお》父島、母島等に就《つい》ては、同地麾下将兵、如何《いか》なる敵の攻撃をも断乎《だんこ》破摧《はさい》し得るを確信するも、何卒《なにとぞ》宜《よろ》しく御願申上ぐ。

終りに左記駄作、御笑覧に供す。何卒玉斧《ぎょくふ》を乞《こ》ふ。

左　記

国の為重きつとめを果し得で　矢弾《やだま》尽き果て散るぞ悲しき

仇《あだ》討たで野辺には朽ちじ吾《われ》は又　七度生れて矛《ほこ》を執《と》らむぞ

醜草《しこくさ》の島に蔓《はびこ》るその時の　皇国《みくに》の行手一途《いちず》に思ふ

（本文部分の原文は漢字＋カタカナ、句読点なし）

栗林は死よりも苦しい生を生きよと言い、命の最後の一滴まで使い切れと命じてきた。勝利も帰還も望めぬ戦場で、潔《いさぎよ》く散ることさえも禁じた。その命令を守り抜いた将兵たちの、本土の人々が永遠に知ることのない生きざま死にざまをせめて言葉にすることが、二万将兵の生死を司《つかさど》る総指揮官の最後の務めであった。

その電報が大本営によって改変されようとは、このときの栗林には知る由もない。しかし「徒手空拳」という言葉が大本営のお偉方の心情を逆撫《さかな》でするであろうことも、死んでゆく将兵を「悲しき」と嘆じることが帝国軍人にあるまじきタブーであることも、分っていたはずである。分っていてあえてしたためたのが、この訣別電報であった。

一七日の早朝、栗林はもう一本の電報を発した。大本営宛てになってはいるが、硫黄島の全将兵に呼びかける内容である。

一、戦局は最後の関頭に直面せり

二、兵団は本十七日夜、総攻撃を決行し敵を撃摧《げきさい》せんとす

三、各部隊は本夜正子を期し各當面の敵を攻撃、最後の一兵となるも飽《あ》く迄《まで》決死敢闘すべし　大君（三語不明）て顧みるを許さず

四、予は常に諸子の先頭に在り

最後の総攻撃は、全員の死を前提としている。しかし栗林は、ある部下にだけは死んではならぬと伝えた。

武蔵野菊蔵工兵隊長の戦後の手記によれば、それは築城参謀の吉田紋三少佐で、栗林は出撃前に「貴官は本島に生を保ち、いつの日か本島を脱出して、日本国民に対しこの惨状を伝えよ」と命じたという。

彼は命令通り玉砕せずに生き延び、筏《いかだ》に乗って島からの脱出を試みた。それが失敗すると、米軍の飛行機を奪って日本に帰ろうとした。しかしそれも失敗に終り、五月半ばに敵弾に斃れたという。

出撃は、敵の圧迫が激しい司令部壕からではなく、約六〇メートル離れた来代工兵隊壕を拠点として行うことになった。そこには硫黄島守備隊の中核ともいえる歩兵第百四十五聯隊《れんたい》が指揮所を設けていた。市丸少将率いる海軍の残存兵力とともにそこへ合流し出撃する計画であった。

公刊戦史に引用された玉田孟中尉《ちゆうい》の手記によれば、一七日夜、来代工兵隊壕に移動する前の司令部壕内の様子は以下のようだったという。

三月十七日夜、階級章・重用書類《ママ》・私物等を焼却、司令部洞窟《どうくつ》内全員にコップ一杯ずつの酒と恩賜《おんし》の煙草《たばこ》二本ずつが配られた。栗林中将は左手に軍刀の柄《つか》を握りしめ「……たとえ草を喰《は》み、土を噛《かじ》り、野に伏するとも断じて戦うところ死中自《おの》ずから活あるを信ず。ことここに至っては一人百殺、これ以外にない。本職は諸君の忠誠を信じている。私の後に続いて下さい」との旨《むね》を述べられ、同夜司令部は出撃した。

この文章では「出撃した」とあるが、実際はこの夜、総攻撃は行われず、出撃拠点である来代工兵隊壕への転進だけが行われた。米軍の重包囲に、出撃の隙《すき》を見つけることができなかったのである。

ここに記された栗林の言葉はいかにも勇ましいが、その様子はどうだったのだろう。副官部に勤務し、この夜、みずからも来代工兵隊壕へ転進した龍前新也軍曹による証言がある。

三月十七日の夜半司令部壕を脱出の時も、参謀その他の将校と異なり元気なく、一見田舎の老爺《ろうや》が子供らに連れられて行く状態であった。杖《つえ》をつき丸腰で五〇〇名位の真中付近で軍医部長と兵器部長と一緒であったが、参謀たちとは別々な行動を取っていた。この時の姿が私が見た兵団長の最後であった。

（『小笠原兵団の最後』より）

生還者の中でも龍前は、栗林をごく近くで見ていた数少ない人物である。硫黄島戦を研究している元防衛大学校助教授の武市銀治郎は、龍前と直接会って取材した経験から、彼の証言は非常に信憑性《しんぴょうせい》が高いと著書『硫黄島』の中で述べている。

その龍前が、出撃のために転進する栗林の姿を「田舎の老爺が子供らに連れられて行く状態」と描写しているのである。龍前はすでに故人であるが、生前、本人から直接話を聞いた人によれば、「ずっと元気だった栗林閣下が、そのときは見るかげもなく憔悴《しょうすい》し、疲れ切った表情だった」と語ったそうだ。

硫黄島の戦いについて書かれた多くの文章の中で、栗林が多少なりとも〝弱さ〟を見せたことがあるとしているものはほとんど見あたらない。前出の武市元助教授が

『硫黄島』の中で「……部隊の全滅を目前とした最期《さいご》の段階でやや精神的なもろさを露呈させた」「指揮下部隊に惨烈な死闘を強いた責任の重圧から精神の動揺を来《きた》した」と指摘しているくらいで、そのほかは、最初から最後まで勇猛果敢な指揮官であったように描かれている。

しかし、兵士たちとのエピソードや、家族に宛てた手紙、戦訓電報、そして訣別電報などから見えてくる栗林像からすると、最後の段階に至って急に気落ちしてしまったこともありえないことではないと思われる。

栗林の気力をくじいたものは何だったのか。

ひとつには、武市の指摘にあるように、部下将兵に凄惨《せいさん》な戦いを強いなければならなかったことだろう。それが顔も知らない一兵卒であろうと、栗林は自分の指揮下にある兵士を、戦争のための〝駒《こま》〟とは思えない人だった。渇きと餓《う》えに苦しみつつ米軍のすさまじい猛攻に立ち向かい、次々と斃れていった将兵たちの、痩《や》せ衰えた幽鬼のごとき姿は、栗林を打ちのめしたものと思われる。

そしてもうひとつは、東京が前例のない無差別戦略爆撃を受けた事実を知ったことではないだろうか。

この頃までに、栗林は東京大空襲の情報を得ていたはずである。大本営との通信はまだ確保されており、ラジオ放送も受信できていた。当時、アジアおよび太平洋地域にいる米兵たちに向けてプロパガンダ放送を行っていたラジオ東京（日本放送協会海外局）は、東京大空襲の直後に、日本の首都が無差別爆撃を受けたことを報じている。焼夷弾《しょういだん》による火災が大惨害をもたらし、被害の中心が非武装市民であることを指摘してアメリカを強く非難したのである。栗林が知った惨状は、想像をはるかに上回るものだったに違いない。

必敗の戦いの苛烈《かれつ》な苦しみの中に、あえて部下たちを踏みとどまらせたのは、日本国民を空襲の惨禍から守るためだった。そして自分たちが島を守り、米軍の本土侵攻を遅らせている間に、終戦交渉が進むことを願ったのである。日本の敗戦を予測していた栗林にとって、二万もの部下を絶海の孤島で死なせることの意味は、そこにしかなかったはずだ。

栗林が書いた留守宅への手紙のうち、内地の空襲について触れていないものは、わずか四通のみである。注意を促し、避難の心得を説き、お前たち内地の人間が空襲を受けないように父たちはここで戦っているのだと繰り返している。東京にいる妻子を守るために自分はこの島で死ぬのだという思いは、ほかの将兵たちと同様、栗林自身の心の支えでもあったろう。

それが、一般市民が犠牲になり、すでに東京は焼け野原になっているというのである。それを知ったときの落胆と虚《むな》しさはいかばかりであったろう。もちろん妻子の生死もわからない。留守宅の家族は全員無事だったのだが、それを栗林が知る術《すべ》はなかった。

それでも、戦う意志までが失われたわけではなかった。

一七日の夜に出撃を見合わせてからさらに八日間、栗林は総攻撃の時機をじっと待った。精も根も尽き果て、何歳も老《ふ》け込んだ姿となってもなお過早《かそう》の突撃を戒め、断乎として持久を図る方針を捨てない栗林に周囲は驚嘆したことだろう。あるいは、うんざりした者もいたかもしれない。ここまで追いつめられた状況となっては、部下の多くは早く突撃してしまいたかったのではないか。一七日にはすでに全員で別れの盃《さかずき》まで交わしているのである。

確かに、B-29によって本土が蹂躙《じゅうりん》され、一般市民に戦禍が広がっている現状を見れば、硫黄島を死守する最大の目的は失われたともいえる。しかし、島が完全に制圧されれば、大部隊が上陸してきて滑走路が本格的に整備される。そうなれば本土への空襲がますますひどくなることは目に見えていた。

最後まで粘り抜くことで本土空襲の被害を少しでも減らしたいという思いで、この期に及んでも栗林は踏みとどまった。また、敵により多くの出血を強要することで、終戦交渉を有利に進めることができるとの考えも捨てていなかったであろう。

さらにもうひとつ、栗林がいかに苦しくとも決してバンザイ突撃を行わなかった理由があると私は考える。

硫黄島は、軍中央部の度重なる戦略方針の変更に翻弄《ほんろう》され、最終的に孤立無援の状態で敵を迎え撃たねばならなかった戦場である。

当初、大本営は硫黄島の価値を重視し、それゆえに二万の兵力を投入したはずだった。それが、まさに米軍上陸近しという時期になって、一転「価値なし」と切り捨てられたのである。その結果、硫黄島の日本軍は航空・海上戦力の支援をほとんど得られぬまま戦わざるをえなかった。

防衛庁防衛研修所戦史室による公刊戦史（戦史叢書《そうしょ》）『大本営陸軍部10　昭和二十年八月まで』は、硫黄島の陥落を大本営がどう受け止めたかについて、以下のように記述している。

軍中央部は、硫黄島の喪失についてはある程度予期していたことでもあり、守備部隊の敢闘をたたえ栗林中将の統帥《とうすい》に感歎《かんたん》するものの、格別の反応を示していない。

「喪失についてはある程度予期していた」から「格別の反応を示」さなかったという。二万の生命を、戦争指導者たちは何と簡単に見限っていたことか。

実質を伴わぬ弥縫《びほう》策を繰り返し、行き詰まってにっちもさっちもいかなくなったら「見込みなし」として放棄する大本営。その結果、見捨てられた戦場では、効果が少ないと知りながらバンザイ突撃で兵士たちが死んでいく。将軍は腹を切る。アッツでもタラワでも、サイパンでもグアムでもそうだった。その死を玉砕（＝玉と砕ける）という美しい名で呼び、見通しの誤りと作戦の無謀を「美学」で覆《おお》い隠す欺瞞《ぎまん》を、栗林は許せなかったのではないか。

合理主義者であり、また誰よりも兵士たちを愛した栗林は、生きて帰れぬ戦場ならば、せめて彼らに〝甲斐《かい》ある死〟を与えたかったに違いない。だから、バンザイ突撃はさせないという方針を最後まで貫いたのであろう。

栗林は、美学ではなく戦いの実質に殉じる軍人であった。硫黄島という極限の戦場で栗林がとった行動、そして死に方の選択は、日本の軍部が標榜《ひょうぼう》していた美学の空疎《くうそ》さを期せずしてあぶり出したといえる。

米軍の包囲がゆるんだのは一九日頃だった。栗林はなおしばらく状況を見極め、二四日夕方に包囲網が解かれはじめたのを見て出撃の好機と判断した。

生還者の大山純軍曹の証言によれば、三月二五日夜、出撃に際して栗林が述べた訓辞は次のようなものだったという。

「予が諸君よりも先に、戦陣に散ることがあっても、諸君の今日まで捧《ささ》げた偉功は決して消えるものではない。いま日本は戦に敗れたりといえども、日本国民が諸君の忠君愛国の精神に燃え、諸君の勲功をたたえ、諸君の霊に対し涙して黙禱《もくとう》を捧げる日が、いつか来るであろう。安んじて諸君は国に殉ずべし」

（『丸』昭和三四年六月号　岡田益吉「硫黄島に賭ける生涯」より）

生き残った全将兵に呼びかけた電報で「予は常に諸子の先頭に在り」と宣言したとおり、栗林は陸海軍約四〇〇名の先頭に立った。絶望を超え、最後の気力を振り絞って――。

最後の総攻撃の際、総指揮官は陣の後方で切腹するのが当時の常識だった。しかし栗林はあえてそれを破ったのである。陸上自衛隊幹部学校の硫黄島現地研修用の資料には「師団長（兵団長）自らが突撃した例は日本軍の戦史・戦例にはない。この総反撃は極めて異例のものである」と記されている。

栗林率いる部隊は、海岸に沿って摺鉢山方向へ南下、翌二六日午前五時過ぎに海兵隊と陸軍航空部隊の野営地を襲撃した。日本軍の組織的抵抗はとっくに終わったと思い込んでいた米兵たちはパニックに陥る。約三時間におよぶ激烈な近接戦闘の末、米軍に与えた損害は死傷者約一七〇名。生き残った日本兵は元山、千鳥飛行場に突入し、そこでほとんどが戦死を遂げた。

米軍は、この攻撃が栗林の指揮によるものだということを知らなかった。バンザイ突撃どころか物音ひとつたてず整然と攻撃してきた兵士たちに不意を突かれ、思わぬ損害を被《こうむ》った。米海兵隊戦史「硫黄島」は、この総攻撃を「三月二十六日早朝における日本軍の攻撃は万歳突撃ではなく、最大の混乱と破壊を狙《ねら》った優秀な計画であった」と評している。

栗林は途中で右大腿部《だいたいぶ》に重傷を負ったが、司令部付曹長に背負われてなおも前進した。その後、出血多量で死亡したという説もあり、拳銃《けんじゅう》で自決したという説もある。

絶命のときまで部下とともに戦った指揮官の最期を見届けた者は、一人も生還していない。

栗林が息絶えたこの朝、硫黄島から西に一三八〇キロ離れた沖縄・慶良間《けらま》列島に米陸軍第七十七師団が奇襲上陸した。住民を巻き込み、一〇万ともいわれる民間人犠牲者を出すことになる沖縄戦の始まりであった。

エピローグ

夫が硫黄島《いおうとう》で戦死したとき、義井《よしゐ》は四〇歳だった。一九歳で嫁いで来て以来、家庭から出たことのなかった主婦が、子供たちを抱え、自分が生活を支えなくてはならなくなった。

次女のたか子は、終戦直後、両親の実家のある長野市で、どこからかのしいかを仕入れてきて露天で売っていた母の姿を覚えている。東京に戻ってからは、中野駅の近くにわずかな場所を借り、下駄や履物を売った。

その後は保険の外交員をし、やがて世田谷にあった紡績会社で住み込み寮母の職を得る。たか子は高校を出るまで、母と一緒にこの会社の寮で暮した。その後は、台所もトイレも共同の、一間のアパートに住んだ。硫黄島で亡《な》くなった将兵の遺族がお金を借りに来ると「今、このくらいしかないんだけど……」と謝りながら、できる限りの金額を渡したという。

「母はお嬢さん育ちで、結婚してからはずっと父に守られてきました。それまでただの一度も働いたことがなかったのに、終戦直後の大変な時期には露天で物売りまでやって、私たちを育ててくれた。そして、兄だけでなく女の子の私も大学に進ませてくれました」

栗林は義井に、軍人の妻として夫の名を汚《けが》さぬように生きよとは言い残さなかった。むしろ逆のことを、硫黄島からの手紙で伝えている。子供たちの養育をよろしく頼むという意味のことを述べた後で、次のように書き記しているのである。

なおこれから先き、世間普通の見栄《みえ》とか外聞とかに余り屈託せず、自分独自の立場で信念をもってやって行くことが肝心です。

（昭和一九年九月四日付　妻・義井あて）

陸軍中将だった栗林は、硫黄島守備の功績によって大将に叙せられた。大将の妻としての誇りを義井は胸に秘めて生きたはずだ。しかしそれは、家名を守り夫の武功を子々孫々に伝える、というようなものではなかった。当の夫が、そんなことを望んでいなかったからである。

「世間」も「普通」もどうでもよい、信念をもって自分らしく生きよ。きびしい現実に立ち向かい、子供たちとともに強くあれ——それが、もう自分が家族を守ってやることはできないと覚悟した栗林が妻に求めたことであった。それに応《こた》えて、義井は見栄や外聞とは無縁の強さをもって戦後を生きたのだった。

二人の子供も巣立ち、ようやく落ち着いた暮らしを送ることができるようになったある日、義井は夢を見た。死んだはずの夫が、軍服姿でにこにこしながら玄関に立っている。びっくりしていると、「いま帰ったよ」とやさしく言った。

ああ、やっぱり帰ってきてくれたんだ。嬉《うれ》しさで胸がいっぱいになった瞬間、目が覚めた。夢とわかってからも、義井の心は温かかった。夫が、ほんとうに明るい表情をしていたからだ。

硫黄島を含む小笠原《おがさわら》諸島が二三年ぶりにアメリカから返還されるという知らせがもたらされたのは、それから間もなくのことである。

二〇〇四（平成一六）年初夏、私は栗林の出身地である長野市松代《まつしろ》町を訪ねた。

松代町は真田十万石の城下町で、幕末の先覚者といわれる佐久間象山の出身地でもある。真田邸や松代藩文武学校などの史跡がある中心部から少し南へ入った静かな山あいに、栗林の生家はある。なだらかな坂を上っていくと、まず古い倉が見え、その先に、白い漆喰《しっくい》壁に瓦《かわら》屋根が映える古い二階家があった。昭和初期に建てられたものだという。庭には白とピンクの芍薬《しゃくやく》が咲き乱れていた。

迎えてくれたのは、現在の当主である栗林直高《なおたか》である。栗林の兄・芳馬《よしま》の孫に当たる直高は、栗林が亡くなった一九四五（昭和二〇）年の生まれで、中学校の校長を務めている。

栗林家は戦国時代から真田家関屋郷の郷士《ごうし》として現在の地にあった旧家である。郷士とは、城下町に居を移すことをせず、農業を営みながら地元に住んだ武士をいう。

徳川時代には松代藩の藩士となり、明治になると製糸業や銀行業に出資するが、いわゆる「武士の商法」で失敗。さらに一八六八（明治元）年、一八八一（明治一四）年の二度にわたり大火に遭って家屋が焼失する。一八九一（明治二四）年生まれの栗林は、両親が家の再建に懸命になっていた頃に誕生したことになる。

芳馬の長男・直《すなお》が、叔父に当たる栗林の生い立ちを綴《つづ》った「若き日の栗林忠道」という手稿が栗林家に保存されている。それによると、栗林の父・鶴治郎《つるじろう》は製材業や土木建築業に励み、母・もとは使用人とともに農業を営んでいた。両親とも多忙であり、子供たちは幼いころから廊下のぞうきんがけや庭掃除など、家の手伝いをした。いわゆる地方の名家に生まれたが、贅沢《ぜいたく》とは無縁で、勤勉質素に育てられたのが栗林という人であった。

松代高等小学校から長野中学校（現・長野高校）に進んだ栗林は成績優秀、とくに英語が得意で、外国回りの報道記者を志望していたという。のちに硫黄島で、取材にやってきた朝日新聞の宍倉恒孝報道班員に「おれは新聞記者になろうと思ったことがあるんだよ」と話したという逸話があるが、事実、陸軍士官学校のほかに、当時ジャーナリストや外交官を多く輩出していた上海《シャンハイ》の東亜同文書院を受験して合格している。どちらを選ぶか迷ったが、教師のすすめに従って陸軍士官学校に進んだという。

その後は陸軍大学校、海外留学と、いわゆるエリートコースを歩んでいるが、大本営勤務は一度もなく、政治とはまったく関わりを持たなかった。軍閥抗争とも無縁である。

陸大軍刀組の割には出世が早いとはいえず、少将になったのも中将になったのも、同期でもっとも早い者から半年遅れだった。経歴を見ても、軍馬を扱う部署に長く在籍したりと意外に地味で、硫黄島の総指揮官をつとめるまでは特筆すべきものはない。

硫黄島行きについては、辺鄙《へんぴ》な上に生きて還《かえ》れぬ戦場へ征《ゆ》くのを嫌がり、あれこれ理由を並べて逃れる将軍もいた中、栗林だけが馬鹿《ばか》正直に受けたともいわれる。その後は、ここまで記してきた通り、死力を尽くして任務を果たした。戦術思想においては合理主義者だった栗林だが、生き方においては、前線に赴き敵弾に身をさらすことこそが軍人の本分であるという愚直なまでの信念を持っていた。

硫黄島に渡ってからの栗林の軌跡を辿《たど》っていくと、軍の中枢《ちゅうすう》にいて戦争指導を行った者たちと、第一線で生死を賭《と》して戦った将兵たちとでは、「軍人」という言葉でひとくくりにするのがためらわれるほどの違いがあることが改めて見えてくる。安全な場所で、戦地の実情を知ろうともせぬまま地図上に線を引き、「ここを死守せよ」と言い放った大本営の参謀たち。その命を受け、栗林は孤立無援の戦場に赴いたのである。

一九九四（平成六）年二月、初めて硫黄島の土を踏んだ天皇はこう詠《うた》った。

　精根を込め戦ひし人未《いま》だ地下に眠りて島は悲しき

見捨てられた島で、それでも何とかして任務を全うしようと、懸命に戦った栗林以下二万余の将兵たち。彼らは、その一人一人がまさに「精根を込め戦ひし人」であった。

この御製《ぎょせい》は、訣別《けつべつ》電報に添えられた栗林の辞世と同じ「悲しき」という語で結ばれている。大本営が「散るぞ悲しき」を「散るぞ口惜し」に改変したあの歌である。

これは決して偶然ではあるまい。四九年の歳月を超え、新しい時代の天皇は栗林の絶唱を受け止めたのである。死んでいく兵士たちを、栗林が「悲しき」と詠った、その同じ硫黄島の地で。

生家からほど近い竜潭山明徳寺に栗林の墓はある。代々栗林家が檀徒《だんと》総代をつとめてきた古刹《こさつ》である。

直高に案内されて訪ねると、静かな境内を抜けた先に、新緑の木立《こだち》に抱かれるようにして墓地が広がっていた。後ろに控える小高い山は、松代大本営跡がある皆神山《みなかみやま》である。

松代大本営とは、本土決戦に備え、大本営や天皇の御座所《ござしょ》、政府各省庁、放送局などを東京から移すために建設された巨大な地下壕《ちかごう》である。皆神山のほか、舞鶴山《まいづるやま》、象《ぞう》山《ざん》の三つの山で一九四四（昭和一九）年一一月から工事が始まり、翌年の八月一五日まで一日も休まず掘り続けられた。

栗林が硫黄島で地下壕掘りの指揮に汗を流していたちょうど同じ頃、生まれ育った地においても大規模な地下壕が掘り進められていたのである。どちらも、国の運命を救うと信じて構築された施設であった。

松代に大本営が移されることは極秘だった。当時の設計図にも大本営という表記はなく「松代倉庫」と呼ばれていたが、栗林はここに何が作られるのかを承知していたようだ。硫黄島から書き送った手紙に次のような一節がある。

皆神山一帯軍事施設の件は、年来の懸案が最近に至り実行に着手されたるものに御座候《ございそうろう》。敵があの辺を爆撃する事は万々なかるべしと存じ候。
（昭和一九年一一月二八日付　兄・芳馬あて）

栗林の墓の正面に立つと、その皆神山がすぐ右手に見える。あの戦争が生んだ暗く巨大な空洞を胎内に閉じこめているとは思えない、緑したたる穏やかな姿である。

墓は、何の変哲もない直方体の石に「陸軍大将　栗林忠道之墓」と彫られているだけの素朴なものだった。その簡潔なたたずまいに、さっき読ませてもらったばかりの手紙の一節が甦《よみがえ》る。生家に宛《あ》てた最後の手紙である。

終わりに万一の場合における私の墓はどこにてもよく、石一本「陸軍中将　栗林忠道の墓」で結構です。（昭和二〇年一月二一日付　兄・芳馬あて）

墓の脇《わき》に名刺受けがあり、二枚の名刺が入っていた。硫黄島で戦死した将兵の遺族が、墓参に訪れることがあるのだという。その多くは栗林家をたずねることもなく、ここで線香をあげ、手を合わせて帰っていく。硫黄島で戦った人々の出身地は全国に渡る。名刺に記された住所は神奈川県であった。

名将と呼ばれた大叔父を持つ栗林家の当主は、うすく被《かぶ》った埃《ほこり》を指先でそっと拭《ぬぐ》い、丁寧に胸のポケットに仕舞った。

謝辞

硫黄島《いおうとう》からの手紙の一節に心惹《ひ》かれたというただそれだけの理由で、栗林忠道の子息である太郎氏を訪ねたのは、二〇〇三（平成一五）年秋のことである。氏が見ず知らずの私を温かく迎え、大切に保管されていた手紙のすべてを手にとって読ませてくださったときから、この本の取材はスタートした。その太郎氏は、二〇〇五（平成一七）年三月二四日、八〇歳で逝去《せいきょ》された。完成した原稿を読んでいただけなかったことを残念に思う。

太郎氏の妹に当たる新藤たか子さんには、二〇〇三（平成一五）年の暮れから翌年初頭にかけて何度かお話を伺った。美しい声で『雨降りお月さん』や『故郷の空』を聴かせてくれたたか子さんも、その後半年ほどして、六九歳で亡《な》くなられた。貴重なお話を聞かせてくださり、執筆を励ましてくださったお二人に、心からお礼を申し上げたい。

戦争を知らない世代に属する私が、資料の少ない硫黄島戦について書くことができたのは、硫黄島協会をはじめとする取材協力者の方々、体験を書き残してくださった生還者の方々、そして硫黄島戦史の研究者の方々のおかげである。ここに深く感謝申し上げる。

最後に、私たち次世代のために、言葉に尽くせぬ辛苦を耐え、ふるさとを遠く離れて亡くなったすべての戦没者の方たちに、あらためて尊敬と感謝を捧《ささ》げたい。

梯《かけはし》 久美子

〈取材に協力いただいた方々（敬称略・順不同）〉

栗林太郎　栗林文子　栗林直高　栗林秀子　栗林薫　栗林利憲　栗林和子　栗林松枝
新藤たか子　貞岡信喜　大越晴則　山際義和　江川光枝　江川純　小林美智子
田中賢一　藤原貴宏　宍倉まどか　宍倉英子　野頭尚子　諏訪部潤一郎　中村忠典
田村明子　ジェイムズ・ブラッドリー

主要参考文献

『戦史叢書《そうしょ》　中部太平洋陸軍作戦2　ペリリュー・アンガウル・硫黄島』　防衛庁防衛研修所戦史室　朝雲新聞社
『戦史叢書　大本営陸軍部10　昭和二十年八月まで』　防衛庁防衛研修所戦史室　朝雲新聞社
『戦史叢書　大本営海軍部・聯合艦隊7　戦争最終期』　防衛庁防衛研修所戦史室　朝雲新聞社
『陸戦史集15　第二次世界大戦史　硫黄島作戦』　陸戦史研究普及会・編　原書房
『硫黄島協会会報』　1～35号　硫黄島協会
『偕行《かいこう》』　昭和51年3月号～平成15年12月号　偕行社
『硫黄島　極限の戦場に刻まれた日本人の魂』　武市銀治郎　大村書店
『硫黄島　ああ！栗林兵団』　船坂弘　講談社
『将軍突撃せり　硫黄島戦記』　児島襄　文藝春秋
『南方捕虜叢書　硫黄島に生きる』　石井周治　国書刊行会
『小笠原《おがさわら》兵団の最後』　小笠原戦友会・編　原書房
『闘魂・硫黄島』　堀江芳孝　恒文社

『あゝ硫黄島』　安藤富治　河出書房
『何も語らなかった青春』　多田実　三笠書房
『「玉砕総指揮官」の絵手紙』　栗林忠道（吉田津由子・編）　小学館文庫
『ニミッツの太平洋海戦史』　C・W・ニミッツ　E・B・ポッター／実松譲　冨永謙吾・訳　恒文社
『硫黄島　勝者なき死闘』　ビル・D・ロス／湊和夫・監訳　読売新聞社
『硫黄島　太平洋戦争死闘記』　R・F・ニューカム／田中至・訳　光人社NF文庫
『硫黄島の星条旗』　J・ブラッドリー　R・パワーズ／島田三蔵・訳　文春文庫
『日本の戦歴　硫黄島の血戦』　森山康平　学研M文庫
『硫黄島　村は消えた、戦前の歴史をたどる』　中村栄寿・編　硫黄島戦前史刊行会
『硫黄島決戦』　橋本衛ほか　光人社NF文庫
『戦士の遺書』　半藤一利　文春文庫
『アメリカ海兵隊の太平洋上陸作戦　下』　河津幸英　アリアドネ企画
『東京大空襲　B29から見た三月十日の真実』　E・バートレット・カー／大谷勲・訳　光人社NF文庫
『B-29日本爆撃30回の実録』　チェスター・マーシャル／高木晃治・訳　ネコ・パブリッシング

『東京大空襲』 早乙女勝元 岩波新書
『太平洋海戦史［改訂版］』 高木惣吉 岩波新書
『太平洋戦争陸戦概史』 林三郎 岩波新書
『アメリカ海兵隊』 野中郁次郎 中公新書
『太平洋戦争 上・下』 児島襄 中公文庫
『図説 太平洋戦争』 池田清・編 太平洋戦争研究会・著 河出書房新社
『大本営参謀の情報戦記』 堀栄三 文春文庫
『木戸幸一日記』 東京大学出版会
『日本陸海軍事典』 原剛 安岡昭男・編 新人物往来社
『日本陸軍がよくわかる事典』 太平洋戦争研究会 PHP文庫
『戦時用語の基礎知識』 北村恒信 光人社NF文庫
『日本陸軍兵器集』 ワールドフォトプレス
『大砲入門』 佐山二郎 光人社NF文庫
「朝日新聞縮刷版」（昭和19年6月～20年8月）
「読売新聞（読売報知）縮刷版」（同）
「毎日新聞縮刷版」（同）

「ニューヨーク・タイムズ」〈米紙〉（1945年2月～3月）
「タイム」〈米誌〉（1945年3月5日号）
「若き日の栗林忠道」　栗林直

解説「何と深い教訓を」

柳田邦男

いい本は、二度読むと、はじめて読んだ時より感動する場面や文章表現がぐんと増え、三度読むと感動がいちだんと深くなってくる。私は、よくそう思う。

梯久美子《かけはしくみこ》さんの『散るぞ悲しき』をはじめて読んだのは、二年前の二〇〇六年春、第三十七回大宅壮一《おおやそういち》ノンフィクション賞の候補作に挙げられた時だった。読み始めるや、意表を突かれた。

太平洋戦争が終盤に入りつつあった昭和二十年三月の硫黄島《いおうとう》の玉砕と総指揮官・栗林忠道《くりばやしただみち》中将について、私はかなり知っているつもりだった。というのは、二十数年前に日米戦史をテーマに、『零戦燃ゆ』という全三巻（文庫版で全六巻）のドキュメントを書いていたからだ。ところが、梯さんによる栗林中将の伝記でもある『散るぞ悲しき』を読むと、冒頭から人間栗林中将の知られざる側面が衝撃的に立ち上がってきたではないか。

本土防衛のために、米軍の進撃を少しでも遅らせよという命を受けた硫黄島守備隊は、敗戦の約五カ月前の昭和二十年三月、凄絶《せいぜつ》な地上戦の末に玉砕を遂げるのだが、大本営宛《あて》に最期《さいご》を告げる悲痛な訣別《けつべつ》電報の神髄にかかわる部分が、当時改変されて新聞に発表されていたというのだ。梯さんは、そのことを、栗林中将の遺族が保存していた電報の原文と、当時の新聞に掲載された発表文とを照合することによって発見し、検証していた。さらに、訣別電報の本文に添えて打電されてきた辞世の短歌三首のうち、栗林中将の心情を率直に吐露している第一首までが改竄《かいざん》されていたのだ。

最も重要な点のみを比べると、次のようになっている。

〔原文〕は「敵来攻以来、麾下《きか》将兵の敢闘は真に鬼神を哭《なか》しむるものあり。特に想像を越えたる物量的優勢を以《もっ》てする陸海空よりの攻撃に対し、宛然徒手空拳《えんぜんとしゆくうけん》を以て克《よ》く健闘を続けたるは……」となっているのに、〔発表文〕では、傍線を付した「宛然徒手空拳を以て」という表現が削除されている。

つまり、米軍は制空権・制海権を完全に握って空爆と艦砲射撃で徹底的に島内の陣地を破壊したうえに、上陸した海兵隊は重火器を駆使して、日本軍の地下壕《ちかごう》や洞窟《どうくつ》を次々に焼き尽してきている。これに対し日本軍は、兵器も食糧も補給されず、わずかばかりの機関銃と小銃で地下壕や洞窟からのゲリラ的抗戦をするだけだった。それは圧倒的な物量を誇る米国対資源の枯渇《こかつ》した日本の、非情な戦争を象徴するものだった。

栗林中将は、「徒手空拳」という一語に、部下二万の将兵をむざむざ死に追いこまざるを得ない悲痛な心情とせめてもの餞《はなむけ》の気持ちとを凝縮させて表明していた。だが、大本営はそんな無力感を漂わせた表現、いわば「泣き言」では、国民の志気高揚を阻害すると判断して、削除したに違いない。しかも原文にはなかった「皇国の必勝と安泰とを祈念しつゝ、全員壮烈なる総攻撃を敢行す」の文をはじめのほうに書き加えていた。

さらに辞世の歌第一首については、次のように書き変えられていた。

〔原文〕　国の為《ため》重きつとめを果し得で　矢弾《やだま》尽き果て散るぞ悲しき

〔発表文〕国の為重きつとめを果し得で　矢弾尽き果て散るぞ口惜《くちお》し

「悲しき」が「口惜し」に置き換えられているのだ。これによって歌の意味は全く違ったものになってしまう。「かなし」は、日本古来の文化の中で、意味が多様で深みのある言葉として大事にされてきたキーワードだ。人間がこの世に生まれて人生を生きていく中では、様々な波乱があり、非情な運命にも遭遇する。人はそういう「かなしみ」を内に秘めて生きている。文人肌と言われた軍人だった。ジャーナリストになろうかと思った時期もあった。その栗林中将が、「散るぞ悲しき」という表現を使ったのは、人間の運命や人生の不条理に対する深い哀感を表現したものであったろう。ところが、「散るぞ口惜し」となると、「勝利をおさめられなくて悔しい」といった、極めて表面的で通俗的な意味になってしまう。

遺族の手許《てもと》に残されたその電報の原文を見ると、辞世の歌第一首の「悲しき」の文字が黒い墨の線で消され、横に「口惜し」と書き直した文字があり、歌の頭のところには、朱書きで二重丸が記してあるという。鮮やかな朱色と生々しい黒の線。梯さんの文章は、随所でこのようにイメージが鮮やかで、時代を超えて伝わってくるリアリティがある。

梯さんが栗林中将に強く惹《ひ》かれ、その人間像について詳しく調べることにのめりこんでいったのは、前記のように訣別電報と辞世の歌に織り込まれた、現地総指揮官としては異色の、率直に心情を吐露した表現に気づいたことに加えて、栗林中将が東京に残した家族に宛《あ》てた手紙から伝わってくる妻や子どもたちに対する思いやりのきめ細かさが、これまた地位の高い軍人としては異色のものだったからだという。

栗林中将は硫黄島入りしてから玉砕するまでの約九カ月間に、家族に宛てて約四十通もの手紙を書いている。それだけでも特異なのだが、手紙の内容が通り一遍のねぎらいの文でなく、家のお勝手のすき間風を防ぐための修理をしないまま前線に来てしまったことが気になるとか、冬の冷水でアカギレができないようにするコツについてなど、実にこまごまと日常生活のことを案じるものが多い。そして、三人の子どもたちのうち、まだ九歳だった末娘のたか子(たこちゃん)と妻・義井《よしゐ》に対する心遣いがまたきめ細かい。

さらに、派遣された硫黄島の状況について伝える文章も、描写が具体的で実感がこもっている。湧水《わきみず》が全くないので、わずかばかりの溜《た》めた雨水を大事に使っているとか、蚊と蝿《はえ》の多さに閉口しているとか、自分も含めて全将兵が天幕露営か穴居生活を余儀なくされていて、穴居は風通しが悪くて蒸しあつく、「ソレハソレハ大変」であること、等々。梯さんは、こう書く。

〈戦史に残る壮絶な戦いを指揮した軍人はまた、自宅のお勝手の隙間風《すきまかぜ》が心配で仕方のない夫でもあった。その両方を生きたのが栗林という人であったことを、彼の風変わりな〝遺書〟は物語っている。〉

『散るぞ悲しき』のテーマと内容の輪郭は、以上の導入部だけでもくっきりと浮き彫りにされているのだが、全編を読むと、硫黄島の戦闘と栗林中将の人間像を大きく書き変えるほどの衝撃力を持った作品であることが強烈に伝わってくる。私がはじめて読んだ時は、自分が日米戦史を調べた時の底の浅さをまざまざと見せつけられた衝撃ゆえに、全編に書き込まれた重要な記述の深読みができなかったと言ってもいいほどだった。やがて大宅賞の受賞が決まった後、これはじっくりと読んでおかなければならないと思い、二度目の通読をした。案の定、様々な事実が新たな意味づけをもって迫ってきた。戦史としては決して長い作品ではないのに、どっしりとした重量感が残った。

さらに今回、文庫版の解説を依頼されたので、三度目の精読となった。随所ではじめて読むような新鮮な味わいがあり、深い思索を促されるところが次々に現われた。過不足のない見事な構成と文脈だと感嘆した。折々に作者の推測や感想が挿入されるが、それらは違和感なく文脈に溶けこんでいる。オリジナルの資料に当たったり、生存する関係者のナマの声で証言を聴いたりした者ならではの説得力と妥当さがあるのだ。

思索を促された点の主なものに絞って、断片的なメモとして記しておきたい。

《足下《あしもと》の現実を自分の眼で見て作戦を立てた栗林中将の発想法と実行力について。》

栗林中将は、昭和十九年六月八日に硫黄島に着任すると、連日島の隅々まで自分の足で歩いて見て回り、地形や地質をつぶさに観察したうえで、十二日後の六月二十日には、早くも硫黄島防衛の作戦計画を決めている。それは海岸沿いに陣地を構築して、敵を上陸時に撃滅するという、伝統的な〝水際《みずぎわ》作戦〟を放棄して、むしろ敵を上陸させたうえで、接近戦により敵に打撃を与えようとする後退配備の陣地構築をする計画だった。

硫黄島は、南端近い摺鉢山《すりばちやま》を除けば、全島にわたって岩石だらけの平地だ。守備隊の航空兵力は、すでに空襲によって壊滅に近い打撃を受けている。今後、後方からの支援も期待できない。これに対し、米軍は制空権・制海権を握っているから、海岸線沿いに陣地を構築しても、上陸前に爆撃と艦砲射撃によって徹底的に破壊されてしまうおそれが強い。地形的にも海岸線防衛は不利で、〝水際作戦〟が絵に描《か》いた餅《もち》になってしまう。

そこで、岩石だらけの島内に、入口のわからないような地下陣地を作り、敵をおびき寄せてから接近戦で叩《たた》いたほうが、米軍に損失を与えやすく、進撃を遅らせる効果が大きい。このように総指揮官が自分の足と眼で現場の実態を見ることの重要性は、現代の政治・行政においても企業においても普遍的にトップに求められる姿勢であろう。
《目的と任務を明確にして、その遂行のためには、伝統や慣行にとらわれないダイナミックな発想と断固たる決断で臨む。》
栗林中将は硫黄島守備隊の総指揮官に任命された時、東条英機《とうじょうひでき》首相から「アッツ島のようにやってくれ」と言われたことに象徴的に示されるように、守備隊の目的と任務は硫黄島攻略の米軍を撃退し勝つことではなかった。全員玉砕して、米軍の本土攻略を少しでも足踏みさせることだった。つまり持久戦でねばり、最後は玉砕で敵に打撃を与えよというのだ。しかし水際作戦はすでにタラワ、マキンなどで失敗していた。
そこで栗林中将は、日本軍（とくに海軍）の伝統だった水際作戦を放棄して、後退配備の作戦を決断したのだ。これに対し、守備隊内の海軍は強く反対したが、栗林中将は後退配備の基本は崩さず、水際の陣地構築を一部だけ認めた。しかし、それでも陣地構築の人員と資材を割いて、後退陣地構築のかなりの部分が未完だった無念さを、栗林中将は戦訓電報に書きこんだ。
《空疎《くうそ》な理想や美学を排除し、足下を見据えた合理主義で作戦を立てたこと。》
これは右記の目的と任務を明確にした計画・実行と表裏一体をなすものだが、東条首相の言「アッツ島のようにやってくれ」というのは、全員が一斉に喚声をあげて突撃する「バンザイ突撃」（＝米軍側の呼称）による玉砕のことだった。しかし、そんな突撃では、米軍の重火器に全部隊が身をさらして撃たれるにまかせるだけになる。潔《いさぎよ》く散るという「美学」ではあっても、敵に少しでも多くの損害を与え、進撃を遅らせるという目的を達成できない。栗林中将は、一兵たりとも無駄死にさせないためにも、「バンザイ突撃」で死を急ごうとする「美学」を禁じ、地下壕にこもってゲリラ戦を展開するという、日本軍がかつて採用したことのない戦闘の仕方を命じたのだ。最終局面になって、栗林中将は生き残っていた約四百名の将兵とともに、飛行場近くの米軍陣地に突入して玉砕したが、それも「バンザイ突撃」でなく、喚声のない無言の夜間急襲だった。米軍側はパニックに陥り、大きな損害を受けた。栗林中将は、米軍側に最も恐れられた将軍となったが、後に最も尊敬された将軍となったのだ。

《二万の将兵の一人々々を大事にして、全部下と一体になって「生と死」の道を歩んだこと。》

わずかばかりの食糧しかない中で、毎日の食事について、自分を含めて将校も兵士も同じものを配膳《はいぜん》し、差をつけることを禁じた。現場を視察する時には、一兵卒に対してでも気さくに声をかけ励ました。米軍は捕虜になった日本軍の将兵たちのほとんどが、総指揮官の顔を見、肉声を聞いて、親近感を抱いていると言うので、驚いたという。

《厳しい地下陣地の戦闘だったにもかかわらず、発狂者が出なかったこと。》

米軍側は空母部隊の乗組員の中から、日本軍の航空機による「カミカゼ攻撃」（「自殺攻撃」とも呼んだ。特攻隊の体当たり攻撃のこと）の恐怖のために、戦争神経症に陥る兵士が続出し、その総数は何千人にも上った。硫黄島に上陸した海兵隊も頑強な兵士ぞろいだったがやはり発狂者が続出した。（そのことがアメリカの精神医学、とくにトラウマの研究を発達させた。）これに対し、日本軍の守備隊に発狂者が出なかったのは、奇跡だと後に米軍を驚嘆させた。おそらくそれは、栗林中将の全将兵平等主義と全員が総指揮官を信頼し一体感を持っていたことが、重要な要因になっていたに違いない。また若年兵が「故郷の空」などを歌って涙を流しても、女々しいなどと言って禁じなかったことも、大事な要因だったろう。

《島の住民たちをいち早く本土に避難させたこと。》

栗林中将は軍隊は一般国民の命を守るために存在しているという意識を強く持っていた。そこで着任した翌月（昭和十九年七月）には、約一千人いた島民を十二日間で本土へ送還している。沖縄の住民が軍も民間人も一体となって戦い抜けという国家命令の下、軍とともに行動して集団自殺を遂げた悲劇とあまりにも対照的だ。

栗林中将は、玉砕する前に、戦訓電報を送り、その中で、無意味な水際作戦への軍中央のこだわりが、後退配備の陣地構築を阻害したことや、航空機の補給の目途などないのに飛行場拡張工事をさせられ続けたことを批判した。さらに根本的には「陸海軍の縄張的主義を一掃し両者を一元的」にしなければならぬとまで提言していた。しかし、これらの批判と提言は軍中央の大本営において真剣に顧慮されなかった。しかも驚くべきことに、戦後に編集され現在も活用されている公刊戦史でさえ、最後の陸海軍の縄張り争いの項は削除されているのだ。

一橋大学名誉教授の野中郁次郎《いくじろう》氏ら経営学や組織論などの専門家六人が共同研究の成果を一九八〇年代はじめに発表した『失敗の本質』(ダイヤモンド社)は、日本軍が教訓を生かさないため主要作戦で大きな失敗を繰り返していったことを鋭く分析し、その中でも陸海軍の縄張り争いを厳しく指摘した。しかし、栗林中将が二万の犠牲を無駄にしないために、率直に失敗の要因を戦訓として報告しても、何の都合があってか、いまだにその指摘は公《おおやけ》には伏せられてしまうのだ。今に至るも日本の省庁のタテ割り行政と権益争いが改善されないのは、国民が血を流しても、その歴史の教訓を学ぼうとしないこの国のリーダーたちの心の貧困を示すもので、いまさらながら愕然《がくぜん》とする。

『散るぞ悲しき』は、何と多くの今日に通じる教訓をあらためて白日の下にさらけ出してくれたことかと思う。

栗林中将はしばしば家族を夢の中で見て、その不思議なエピソードや楽しい情景を、家族宛の手紙にリアルに再現して書いている。心が本当に家族と再会したような楽しさに満たされたり、空襲による火災の中を逃げ惑う家族の姿を夢に見て、心配したりしている手紙の文を読むうちに、私はふと、ナチスドイツによるアウシュヴィッツのユダヤ人強制収容所で、明日はガス室送りかと不安な日々を過ごしていた精神医学者ビクトル・フランクルの手記『夜と霧』（みすず書房）の中の記述を思い出した。フランクルは幻想の中で別々に収容された妻の姿を思い浮べ、その愛を感じることで、自分の精神の平衡を辛《かろ》うじて保っていたことを、感動的に書いていたのだ。

夢の中で、妻や子どもたち、とりわけ可愛《かわい》がっていた末娘のたこちゃんの姿をよく見ていたことが、苛烈《かれつ》な孤島での死闘の中でもなお、冷静な判断を保ち続け、二万の部下たちへの温《ぬく》もりのある思いやりを持続し得た精神力の糧《かて》となっていたのかもしれない。これは限界状況の中で、人間の心を支えるものは何かを考えるうえで、示唆《しさ》するところが大きいエピソードだ。

梯さんは戦後世代だ。だが、たか子さんが亡《な》くなる半年前、六十九歳の時に面会してインタビューすることができたという。日本と日本人の現代史の中で、忘却の彼方《かなた》へ葬《ほうむ》ってはならない出来事と体験とを、戦後生まれの取材者であっても、生きた証言者の最後の肉声を聴くことによって香り高いドキュメントとして記録することに成功したと言えようか。

（平成二十年六月、作家）

この作品は平成十七年七月新潮社より刊行された。

※本文中の敬称は省略させていただきました。

※本文中で紹介した手紙や電報については、読み易さを考慮し、改行をほどこした部分や句読点やルビを補った部分、漢字をかなに直した部分があります。

※将兵の階級については、硫黄島戦当時のものを使用しました。

編集部では皆様の感想をお待ちしております。お名前、年齢、ご住所、ご連絡先をお書き添えの上、メールか郵便でお寄せください。

送り先：〒162―8711　東京都新宿区矢来町七一
新潮社新潮文庫編集部
『散るぞ悲しき』担当宛

URL:http://www.shinchosha.co.jp/chiruzo/

散《ち》るぞ悲《かな》しき

―硫黄島総指揮官・栗林忠道―

新潮文庫　か－50－1

平成二十年八月一日発行
令和七年七月二十五日十五刷

著者　梯《かけはし》久《く》美《み》子《こ》

発行者　佐藤隆信
発行所　株式会社 新潮社
郵便番号　一六二―八七一一
東京都新宿区矢来町七一
電話 編集部(〇三)三二六六―五四四〇
読者係(〇三)三二六六―五一一一
https://www.shinchosha.co.jp
価格はカバーに表示してあります。
乱丁・落丁本は、ご面倒ですが小社読者係宛ご送付ください。送料小社負担にてお取替えいたします。

印刷・株式会社光邦　製本・株式会社植木製本所

ISBN978-4-10-135281-7 C0195